3e ÉDITION

Français.com

FRANÇAIS PROFESSIONNEL

Cahier d'activités

Jean-Luc Penfornis

Crédits photographiques

Icônes, p. 40 (1re col. puis 2e col., de haut en bas) : www.flaticon.com. 1, 2, 8 : Freepik ; 3, 4, 5, 9 : DinosoftLabs ; 6 : mynamepong ; 7, 10 : Vectors Market.

Photos : Adobe Stock, www.stock.adobe.com.

p. 4 : © milanmarkovic78 ; p. 7 : © zinkevych ; p. 13 haut :© AnnaDemy ; bas : © ikostudio ; p. 16 : ladysuzi ; p. 28 : Sikov ; p. 29 : © leslie sanders ; p. 31 haut : © boomeart, ; bas : © Fxquadro, ; p. 40 : jotily, ; p. 4: © Viacheslav Iakobchuk ; p. 52 : © Vasyl ; p. 57 : © Ivan Traimak ; p. 58 : © Ruslan Kokarev ; p. 64 : © Photocreo Bednarek ; p. 76 : © conceptualmotion ; p. 81 : © gzorgz ; p. 85 : © Utkamandarinka ; p. 88 : © phonlamaiphoto ; p. 91 : © party people studio ; p. 92 : © auremar ; p. 93 : © Gerhard Seybert ; p. 94, haut : © Andriy Bezuglov ; milieu : © hd3dsh ; bas, de g. à d. : © Elena Belyaeva, © Friedberg, © MangAllyPop, © gabe9000c, © TheParisPhotographer, © neirfy ; p. 95 : © connel_design ; p. 97 g. : © elmirex2009 ; d. : © Jacob Lund ; p. 99 : © hartphotography

Couverture : © Milles Studio, Adobe Stock.

Direction éditoriale : Béatrice Rego

Marketing : Thierry Lucas

Édition : Noëlle Rollet

Conception graphique : Fernando San Martín

Mise en pages : AMG

Couverture : Dagmar Stahringer

Illustrations : Claude-Henri Saunier

ISBN : 978-209-038690-5

Dépôt légal : février 2020

Sommaire

unité 1

Premiers contacts

1. Faire ses premiers pas

A Vocabulaire

1. Écoutez et cochez les mots que vous connaissez. Cherchez les autres dans le dictionnaire.

- ❑ un téléphone
- ❑ une université
- ❑ un café
- ❑ une station de métro
- ❑ un train
- ❑ un parc
- ❑ un nom
- ❑ une réponse
- ❑ une question
- ❑ un dossier
- ❑ un article
- ❑ un collège
- ❑ un hôpital
- ❑ un musée
- ❑ un théâtre
- ❑ une orange
- ❑ une clarinette
- ❑ une règle
- ❑ une exception
- ❑ un voyageur
- ❑ un nombre
- ❑ un avion
- ❑ un dialogue
- ❑ un rendez-vous
- ❑ une télévision
- ❑ un aéroport
- ❑ un agenda
- ❑ un visa
- ❑ une photo
- ❑ un vendeur
- ❑ un mot
- ❑ une consonne
- ❑ une voyelle

2. Supprimez l'intrus.

1. une guitare – un piano – ***~~un téléphone~~***
2. ~~un avion~~ – un hôtel – un restaurant
3. un thé – un dossier– un café
4. une règle – une exception – une action
5. ~~une télévision~~ – un train – un bus
6. un avion – ~~une photo~~ – un aéroport
7. une orange – une banane – ~~une voyelle~~
8. une voyelle – un passeport – une consonne
9. un cinéma – ~~un hôpital~~ – un théâtre
10. un visa – un passeport – ~~un zéro~~
11. une photo – une caméra – ~~une fleur~~
12. ~~un mot~~ – un collège – une université
13. bonjour – ~~valise~~ – au revoir
14. s'il vous plaît – merci – ~~huit~~
15. madame – monsieur – ~~métro~~
16. ~~pardon~~ – masculin – féminin
17. singulier – ~~merci~~ – pluriel
18. un euro – un dollar – ~~un nombre~~
19. ~~une idée~~ – une question – une réponse
20. une moto – ~~une orange~~ – une bicyclette
21. une voiture – un taxi – ~~une cathédrale~~
22. un ticket – ~~un nom~~ – un article

3. Écrivez en chiffres.

a. dix-sept, deux : ***17, 2***

b. trois, quatorze : 3 / 14

c. huit, dix-huit, dix : 8 / 18 / 10

d. seize, onze, treize : 6 / 11 / 13

4. Écrivez en lettres.

a. 6, 9, 19 : ***six, neuf, dix-neuf***

b. 12, 20 : dooze / vin

c. 1, 4, 7 : un / quatre / sept

d. 0, 5, 15 : zero / cinq / cinquene

B Grammaire

5. Supprimez l'intrus.

1. un hôpital – un téléphone – une réponse – un dossier – un vendeur – un nombre
2. une question – un agenda – une télévision – une fleur – une photo – une université
3. des musées – des agendas – des mots – des voyelles – des voyageurs – un sport – des taxis

6. Écrivez au pluriel.

1. une voiture → ***des voitures***
2. un café → des cafes
3. une valise → des valises
4. un train → des trains
5. une fleur → des fleur
6. un bus → des bus

7. Écrivez au singulier.

1. des avions → ***un avion***
2. des sports → un Sport
3. des photos → une photo
4. des euros → un euro
5. des questions → une question
6. des exceptions → une exception

C Communication

8. Cochez la bonne réponse.

1. Qu'est-ce que c'est ?
   - ☐ Au revoir.
   - ☑ Un théâtre.
   - ☐ C'est Paul.
2. Bonjour.
   - ☑ Bonjour.
   - ☐ S'il vous plaît.
   - ☐ Merci.
3. Dix euros, s'il vous plaît.
   - ☐ Voilà un billet de vingt.
   - ☑ Voilà un ticket.
   - ☐ Voilà une valise.
4. « Café », c'est masculin ou féminin ?
   - ☐ C'est pluriel.
   - ☐ C'est singulier.
   - ☑ C'est masculin.

9. (piste 2) Mettez les répliques dans l'ordre. Puis écoutez pour vérifier.

Dialogue 1
- ☐ **a.** Merci.
- [1] **b.** Qu'est-ce que c'est ?
- ☐ **c.** Pardon ?
- ☐ **d.** Une trompette.
- ☐ **e.** Une trompette.

Dialogue 2
- ☐ **a.** Merci.
- ☐ **b.** Au revoir.
- ☐ **c.** Au revoir.
- ☐ **d.** Deux euros, s'il vous plaît.
- ☐ **e.** Voilà un... et deux.

Dialogue 3
- ☐ **a.** Bonjour monsieur.
- ☐ **b.** Bonjour, un café, s'il vous plaît.
- ☐ **c.** Voilà monsieur.
- ☐ **d.** Merci.

A Vocabulaire

1. Complétez.

1. Pierre habite à Paris, il parle ***français***.
2. Berrak habite à Istanbul, elle parle t......................
3. Miguel habite à Buenos Aires, il parle e......................
4. Chen Yi habite à Pékin, elle parle c......................
5. Andrej habite à Moscou, il parle r......................
6. Maria habite à Rio de Janeiro, elle parle p......................

2. Écrivez en chiffres.

1. vingt-quatre : ***24***
2. vingt-six : ....
3. trente et un : ....
4. trente-deux : ....
5. quarante et un : ....
6. cinquante-neuf : ....
7. soixante et un : ....
8. soixante-trois : ....

3. Écrivez en lettres.

a. 27, 28 : ***vingt-sept, vingt-huit***

b. 34, 41 : ....

c. 45, 51 : ....

d. 52, 62 : ....

B Grammaire

4. 3 Transformez. Puis écoutez et répétez.

1. Pierre est français. → Pauline est ***française***.
2. Mircéa est roumain. → Angela est ....
3. Georges est danois. → Monika est ....
4. Karol est polonais. → Angie est ....
5. Manh est vietnamien. → Tam Doan est ....
6. Rudolf est tchèque. → Iva est. ....

5. 4 Associez. Puis écoutez pour vérifier.

1. Elle s'appelle → ***d***
2. Il s'appelle → ....
3. Elle a → ....
4. Elle habite à → ....
5. Elle parle → ....
6. Elle est → ....
7. Il est → ....

a. polonaise

b. Varsovie

c. trente-deux ans

d. ***Anna***

e. Thomas

f. américain

g. trois langues

6. Complétez avec le verbe *être* ou *avoir*.

1. Bonjour, je ***suis*** Marc Bernadin.
2. Je .... français.
3. J'.................................... 44 ans.
4. Pauline .... russe.
5. Elle .... étudiante.
6. Elle .... 22 ans.

7. *je, j', il, elle* ou *vous* ?

1. Marc habite à Bruxelles, ***il*** est Belge.
2. Elena est russe, ... habite à Moscou.
3. Moi, ... suis espagnol, mais .... habite à Paris.
4. Et .... ? .... habitez à Paris ?

C Communication

8. Complétez les mentions manquantes.

Elle s'.................... Florence. Elle h.................... à Nice, dans le sud de la France. Elle .... française. Elle est mariée et elle a .... enfants, Maxime et Julien. Maxime .... dix ans et Julien a huit .... Florence .... documentaliste dans .... bibliothèque. Elle .... langues : anglais, italien, espagnol et, bien sûr, ...

9. Complétez librement.

Il s'appelle ....

....

....

....

....

....

....

....

....

....

....

....

A Vocabulaire

1. Comment ça s'écrit ? Complétez.

1. JAndrée : A, N, D, R, E accent ***aigu***, E
2. Françoise : F, R, A, N, C ...cédille..., O, I, S, E
3. Pierre : P, I, E, ...deux... R, E
4. Gisèle : G, I, S, E accent ...grave..., L, E
5. Jérôme : J, E accent ...aigu..., R, O accent ...circonflexe..., M, E
6. Jean-Paul : J, E, A, N, ...tiret..., P, A, U, L

2. Associez.

1. Vous complétez... → ***c***
2. Vous lisez... → ...f...
3. Vous écoutez... → ...e...
4. Vous regardez... → ...b...
5. Vous allez... → ...a...
6. Vous pouvez... → ...d...

a. à New York.
b. une chaîne de télévision.
c. ***un formulaire.***
d. répéter ?
e. une station de radio.
f. un journal.

B Grammaire

3. Complétez le tableau.

Infinitif	...parler...	aller	pouvoir	être
je	parle	vais	peux	...suis...
tu	...parles...	...vas...	...peux...	...es...
il / elle	parle	...va...	peut	...est...
vous	...parlez...	...allez...	...pouvez...	...êtes...

4. Complétez avec le verbe au présent.

1. J'...écoute... (*écouter*) une chanson.
2. Elle ...regarde... (*regarder*) un film.
3. Tu ...habites... (*habiter*) ici ?
4. Tu ...peux... (*pouvoir*) venir ?
5. Tu ...parles... (*parler*) russe ?
6. Je ...pratique... (*pratiquer*) le français.
7. Je ...consulte... (*consulte*) un médecin.
8. Paul Bert, c'...est... (*être*) moi.
9. Elle ...est... (*être*) enchantée.
10. Je ...suis... (*être*) bien ici.
11. Vous ...pouvez... (*pouvoir*) répéter ?
12. Vous ...êtes... (*être*) Paul Bert ?
13. Je ...vais... (*aller*) à Paris.
14. Ça ...va... (*aller*) bien, merci.

C Communication

5. Cochez la bonne réponse. Puis écoutez pour vérifier.

1. Bonjour, tu vas bien ?
- ❑ Bien, merci, et vous ?
- ❑ Oui, enchanté.
- ❑ Tu es madame Dumas ?

2. Je suis Cédric Michon, enchanté.
- ❑ Enchantée.
- ❑ Un instant, Cédric.
- ❑ Vous allez bien, monsieur Michon ?

3. Vous êtes Sarah Meyer ?
- ❑ C'est moi, vous allez bien ?
- ❑ Oui, bonjour, ça va ?
- ❑ C'est moi, oui.

4. Vous parlez français ?
- ❑ Oui, c'est moi.
- ❑ Oui, je suis française.
- ❑ Oui, vous pouvez.

5. Vous habitez à Paris ?
- ❑ Oui, vous aussi ?
- ❑ Oui, excusez-moi.
- ❑ Oui, un peu.

6. Salut, ça va ?
- ❑ Salut, à bientôt !
- ❑ Excuse-moi, s'il te plaît.
- ❑ Et toi ?

6. Mettez les répliques dans l'ordre. Puis écoutez pour vérifier.

Dialogue 1
- ❑ **a.** Ça va ?
- ❑ **b.** Salut !
- ❑ **c.** Salut !
- ❑ **d.** Ça va, et toi ?

Dialogue 2
- ❑ **a.** Non, je suis française.
- ❑ **b.** Enchanté, vous êtes chinoise ?
- ❑ **c.** Bonjour, je suis Jacques Viala.
- ❑ **d.** Enchantée, je m'appelle Huina.

Dialogue 3
- ❑ **a.** Vous parlez bien français.
- ❑ **b.** Merci, vous aussi.
- ❑ **c.** Non, je suis américaine.
- ❑ **d.** Vous êtes française ?

Dialogue 4
- ❑ **a.** Bien, bien, merci.
- ❑ **b.** Et M. Duc, ça va ?
- ❑ **c.** Il va bien, merci.
- ❑ **d.** Bonjour, madame Duc, vous allez bien ?

7. Complétez les dialogues.

A Vocabulaire

1. Supprimez l'intrus.

1. Finlande – Suisse – ~~**Michelin**~~ – Japon
2. italienne – entreprise – grecque – allemande
3. collègue – comptable – vendeur – guide-interprète
4. vendeurs – ordinateurs – stylos – montres

2. Qu'est-ce qu'ils font ? Complétez.

1. Un libraire vend des ***livres***.
2. Un fleuriste vend des fleurs
3. Un photographe fait des photos
4. Airbus fait des avions
5. Renault fait des voitures
6. Ikea vend des meubles

3. 7 Complétez avec les mots de la boîte d'entreprises. Puis écoutez pour vérifier.

1. Danone est une entreprise agroalimentaire.
2. HSBC est une grande banque.
3. Publicis est une agence de publicité.
4. AXA est une compagnie d'assurances.
5. Air France est une compagnie aérienne.
6. Le Grand Palace est un hôtel de luxe.

BOÎTE D'ENTREPRISES
Le Grand Palace
Axa
Danone
HSBC
Publicis
Air France

B Grammaire

4. Faites deux phrases, comme dans l'exemple.

1. cuisinier / français
   Il est cuisinier. C'est un cuisinier français.
2. architecte / italien
   Il est architecte. C'est un architecte italien
3. guide / français
   Il est guide. C'est un guide français
4. avocate / américaine
   Elle est avocate. C'est une avocate américaine

5. Complétez avec *elle est, ils sont, elles sont, c'est* ou *ce sont*.

1. ***C'est*** un avion.
2. Catherine Lamy ? Elle est pilote chez Air France.
3. Elles sont hôtesses de l'air.
4. Ils sont mécaniciens.
5. Ce sont des passagers.

6. Complétez le tableau.

Infinitif	travailler	connaître	faire	vendre
je	travaille	connais	fais	vends
tu	travailles	connais	fais	vends
il / elle	travaille	connaît	fait	vend
vous	travaillez	connaissez	faites	vendez

7. Écrivez les questions.

1. – *Qu'est-ce que vous faites comme métier ?*
   – Je suis professeur de russe.
2. – Qu'est-ce que c'est ?
   – C'est une montre.
3. – Qui est-ce ?
   – Ce sont des clients.
4. – Où est-ce qu'il travaille ?
   – À New York, dans une banque.

C Communication

8. Écrivez les questions.

1

2

3

4

A Vocabulaire

1. Associez. Puis écoutez pour vérifier.

1. l'assistante → *d*
2. le pilote → ....
3. les étudiants → ....
4. le directeur → ....
5. le président → ....
6. le ministère → ....
7. l'avenue → ....
8. la Coupe → ....

a. des ressources humaines
b. du professeur
c. du Général-de-Gaulle
d. ***du directeur***
e. de l'avion
f. du monde
g. de la République
h. des Affaires étrangères

2. Écrivez les numéros de téléphone en chiffres.

1. zéro un, trente-deux, vingt-huit, soixante-dix, douze : ***01 32*** ....
2. zéro quatre, soixante et onze, trente, vingt-quatre, seize : ....
3. zéro huit, quarante-neuf, cinquante, quatre-vingts, dix-sept : ....

3. Écrivez les nombres en lettres.

a. 81 : ....

b. 55 : ....

c. 41 : ....

d. 75 : ....

B Grammaire

4. Transformez, comme dans l'exemple.

1. un acteur → ***l'acteur***
2. une actrice → ....
3. une pièce de théâtre → ....
4. une histoire → ....
5. un rôle → ....
6. des spectateurs → ....

5. Complétez, comme dans l'exemple.

1. Lui, c'est ***le*** chef ***du*** personnel.
2. Il habite dans .... rue .... hôpital.
3. Lui, c'est .... directeur .... production.
4. Elle, c'est .... patronne .... Pierre.
5. Lui, c'est .... assistant .... Mme Lecœur.
6. Voilà .... employés.................... service financier.
7. L'ONU, c'est .... Organisation .... Nations unies.
8. Pierre travaille pour .... Ville .... Paris.

6. Complétez avec *une, le, la, l', les.*

1. Je connais ......une...... actrice. Elle s'appelle Pauline Mercier. En ce moment, elle joue dans ......une...... pièce de théâtre à Paris.
2. ......La...... pièce s'appelle ......La...... *Vie de Natacha 008.*
3. ......L'...... histoire se passe à Berlin, dans ......les...... années 60. C'est ......une...... histoire d'espionnage.
4. Pauline Mercier joue ......le...... rôle de Natacha. C'est ......le...... rôle principal.

7. Posez des questions sur les mots soulignés. Utilisez les mots suivants.

l'âge / ~~*l'adresse*~~ / la nationalité / le nom / la profession

1. L'hôtel de la Paix se trouve 4, rue Montaigne.
   → ***Quelle est l'adresse de l'hôtel de la Paix ?***
2. Le directeur de l'hôtel s'appelle Pierre Toubon.
   → Quel est le nom du directeur l'hotel ?
3. L'assistante de Léo Toubon est colombienne.
   → Quelle est la nationalité de l'assistante de Léo Toubon ?
4. Le comptable a 59 ans.
   → Quel est l'age du comptable ?
5. La fille du comptable est architecte.
   → Quelle est la profession de la fille du comptable ?

C Communication

8. Lisez ou écoutez la déclaration de Florian et complétez sa carte de visite.

Florian : « Je m'appelle Florian Brasseur. J'ai 24 ans. Je suis belge, mais j'habite en France. Je suis conseiller commercial chez Top vacances. C'est une agence de voyages française, le siège social est à Paris, mais, moi, je travaille à Bordeaux, au 34, rue Paulin. Je voyage beaucoup, surtout en Espagne et en Italie. Je parle cinq langues : espagnol, italien, anglais, flamand et, bien sûr, français. »

....
Florian ....
....
....
33000 ....
FRANCE
Tél.: 0578554309
fbrasseur@topvacances.fr

A Le point de langue

1. ... la photo, c'est Vanessa Lopez.
- ❑ Écoutez
- ❑ Regardez
- ❑ Lisez
- ❑ Répétez

2. Il est ... dans un restaurant.
- ❑ serveur
- ❑ vendeur
- ❑ coiffeur
- ❑ professeur

3. L'assistante du directeur a ... ans.
- ❑ quinze
- ❑ cent onze
- ❑ quatre-vingts
- ❑ vingt-neuf

4. Vous pouvez ... votre nom ?
- ❑ appeler
- ❑ peler
- ❑ geler
- ❑ épeler

5. ..., comment vas-tu ?
- ❑ Bonjour
- ❑ Merci
- ❑ Au revoir
- ❑ Pardon

6. C'est un mot féminin ou ... ?
- ❑ pluriel
- ❑ singulier
- ❑ indéfini
- ❑ masculin

7. Toyota fait des ...
- ❑ meubles
- ❑ stylos
- ❑ voitures
- ❑ pneus

8. Vous ... où ?
- ❑ allez
- ❑ connaissez
- ❑ avez
- ❑ faites

9. Il travaille dans une ... américaine.
- ❑ rue
- ❑ profession
- ❑ entreprise
- ❑ fonction

10. Le ... électronique (en anglais *email* ou *e-mail*) a été inventé en 1972.
- ❑ communiqué
- ❑ billet
- ❑ courrier
- ❑ message

11. Léo, ça s'écrit L, E accent ..., O.
- ❑ aigu
- ❑ circonflexe
- ❑ grave
- ❑ cédille

12. ... les clés du bureau.
- ❑ C'est
- ❑ Elles sont
- ❑ Ce sont
- ❑ Ils sont

13. ... espagnole.
- ❑ C'est
- ❑ Elle est
- ❑ Il est
- ❑ C'est un

14. J'ai ... frère, il s'appelle Jonathan.
- ❑ un
- ❑ le
- ❑ une
- ❑ la

15. Il travaille à ... hôpital.
- ❑ le
- ❑ l'
- ❑ la
- ❑ les

16. Voilà ... bus 33.
- ❑ un
- ❑ des
- ❑ le
- ❑ les

17. ... parle allemand, Sarah?
- ❑ Tu
- ❑ Il
- ❑ Vous
- ❑ Elle

18. ... est la capitale de l'Inde ?
- ❑ Quel
- ❑ Quels
- ❑ Quelle
- ❑ Quelles

B Le point de communication

1. Complétez la bulle.

2. Pierre Bosse travaille chez Ford. Vous connaissez Ford ? Complétez.

– Oui, Ford, c'est ....

....

....

3. Pierre Bosse travaille dans l'usine de Mulhouse, en France. Quel est son numéro de téléphone?

a. ❑ 04 89 89 09 18

b. ❑ 504 282 8649

c. ❑ 7248890009

d. ❑ 021 766 3291

4. Répondez aux questions suivantes.

1. – Vous êtes français(e)?

   – ....

2. – Qu'est-ce que vous faites dans la vie?

   – ....

3. – Vous travaillez / étudiez où?

   – ....

5. Écrivez les mots.

Exemple : B comme Bernard, A, C, H.

→ ***Bach.***

1. L apostrophe, E accent aigu, L, E accent grave, V comme Victor, E.

   → ....

2. C, O, deux N, A, I accent circonflexe, T comme Thomas, R, E.

   → ....

6. Trouvez la question.

1. – .... ?

   – C'est le 04 77 23 93 17.

2. – .... ?

   – Non, je suis célibataire.

3. – .... ?

   – 72220.

7. Complétez le mail.

Bonjour Camille,

Ça y est, le nouveau directeur est arrivé.

Il .... Michel Henri (Michel, c'est le .... et Henri, c'est le nom). Il a 40 .... Et tu sais quoi ? Eh bien, nous sommes voisins !

Il .... au numéro 4 de la .... de Paradis et moi, ... au 6.

À bientôt,

Pierre

unité 2

Objets

1. Utiliser des objets

A Vocabulaire

1. (10) Associez. Puis écoutez pour vérifier.

1. ***un sac*** → ***e***
2. un téléphone → ....
3. une carte → ....
4. un cachet → ....
5. un appareil → ....
6. une pièce → ....
7. un billet → ....
8. un dictionnaire → ....
9. des lunettes → ....
10. une brosse → ....

a. d'aspirine
b. de crédit
c. de monnaie
d. photo
e. ***à main***
f. à dents
g. portable
h. de banque
i. électronique
j. de soleil

2. Supprimez l'intrus.

1. un café – un thé – ***~~un passeport~~***
2. un sucre – un stylo – un crayon
3. un papier – une tasse – un verre
4. une montre – un réveil – un dictionnaire
5. une cuiller – une soupe – un portefeuille
6. une enveloppe – une poche – un timbre
7. une clé – un journal – un magazine
8. une calculette – une boîte – un sac

3. Complétez avec les mots suivants.

colle un timbre *consulte son agenda* ***~~cherche un mot~~*** *prend une photo* *met ses lunettes* *ouvre la porte* *règle ses achats* *voyage à l'étranger*

1. Pierre ***cherche un mot*** dans le dictionnaire.
2. Michel .... pour lire.
3. Émilie .... sur l'enveloppe.
4. Karim .... avec un billet de 100 euros.
5. Sarah .... pour prendre rendez-vous.
6. Nicolas .... pour ses affaires.
7. Rebecca .... de son bureau.
8. Barak .... avec son téléphone portable.

B Grammaire

4. Écrivez l'infinitif des verbes.

1. J'achète des lunettes. → ***acheter***
2. Il *fait* ses achats. → ....
3. Elle *boit* un thé. → ....
4. Je *prends* le bus. → ....
5. Je *lis* un livre. → ....
6. Il *met* son chapeau. → ....
7. Je *connais* la nouvelle. → ....
8. Elle *ouvre* sa porte. → ....
9. Tu *voyages* à Paris. → ....
10. Je *paye* la facture → ....

5. Entourez la bonne réponse.

1. Je fais | mon | ma | mes | calculs.
2. Vous connaissez | son | sa | ses | numéro ?
3. Quelle est | ton | ta | tes | adresse ?
4. Voici | mon | ma | mes | valise.
5. Tu as | ton | ta | tes | passeport ?
6. Je cherche | mon | ma | mes | lunettes.
7. Elle fait | son | sa | ses | courses.
8. Il achète | son | sa | ses | journal.

C Communication

6. Mettez les phrases des dialogues dans l'ordre. Puis écoutez pour vérifier.

Dialogue 1

- ☐ **a.** Comment ça s'écrit ?
- ☑ 1 **b.** Comment ça se dit en français ?
- ☐ **c.** Un crayon.
- ☐ **d.** C-R-A-Y-O-N.

Dialogue 2

- ☐ **a.** Un portefeuille.
- ☐ **b.** Un portefeuille.
- ☐ **c.** Qu'est-ce que c'est en français ?
- ☐ **d.** Tu peux répéter, s'il te plaît ?

Dialogue 3

- ☐ **a.** Un ou une ?
- ☐ **b.** Comment on dit *spoon* en français ?
- ☐ **c.** Cuiller.
- ☐ **d.** Une cuiller.

Dialogue 4

- ☐ **a.** Qu'est-ce que tu cherches ?
- ☐ **b.** Pour payer la facture.
- ☐ **c.** Pour quoi faire ?
- ☐ **d.** Ma carte bancaire.

7. Complétez les dialogues.

Dialogue 1

– Je cherche un sac en plastique.

– .... ?

– Pour ranger mes affaires.

Dialogue 2

– Vous parlez français ?

– Oui.

– .... ?

– Une tasse.

Dialogue 3

– C'est un agenda électronique.

– .... ?

– Un agenda électronique.

Dialogue 4

– Qu'est-ce que tu fais ?

– ....

– Quel journal ?

– *Le Journal des affaires.*

A Vocabulaire

1. Supprimez l'intrus.

Dans une boutique de vêtements

1. un fromage – un pantalon – une veste
2. un costume – un parfum – un tailleur
3. un manteau – un imperméable – un poisson
4. un bijou – une robe – une jupe
5. une écharpe – un foulard – un médicament
6. un pyjama – une gomme – une chemise
7. des chaussettes – des gants – des lunettes
8. un short – un jean – un gâteau
9. un tee-shirt – un livre – un pull-over
10. un nœud papillon – une fleur – une cravate

2. Qu'est-ce qu'ils vendent ? Complétez avec des mots de l'exercice 1.

a. Le poissonnier vend des ....
2. Le pâtissier vend des ....
3. Le libraire vend des ....
4. Le pharmacien vend des ....
5. Le bijoutier vend des ....
6. Le fromager vend des ....
7. Le fleuriste vend des ....
8. La papeterie vend des ....
9. La parfumerie vend des ....
10. Un opticien vend des ....

B Grammaire

3. Complétez avec les verbes *être* ou *avoir*.

1. Vous ***avez*** un message.
2. Ils .... une maison de campagne.
3. Nous .... des bureaux à Madrid.
4. Elle .... italienne.
5. Ils .... à Paris.

4. Mettez à la forme négative.

1. Je pratique la natation. → ***Je ne pratique pas la natation.***
2. Je connais le problème. → ....
3. Il paie ses factures. → ....
4. Elle aime l'opéra. → ....
5. Je prends ma voiture. → ....

5. Mettez à la forme négative.

1. Elle prend des cours de français. → ***Elle ne prend pas de cours de français.***
2. Il pratique un sport de combat. → ....
3. Ils font une proposition. → ....
4. Ils vendent des produits de luxe. → ....
5. Vous faites des progrès. → ....

6. (12) **Transformez les questions en utilisant *est-ce que*. Puis écoutez et répétez.**

1. Ils vendent des allumettes ? → ***Est-ce qu'ils vendent des allumettes ?***
2. Vous avez une question ? → ……………………
3. Elle aime la cuisine française ? → ……………………
4. Tu peux fermer la porte ? → ……………………

7. Répondez par la négative : *ce n'est pas un… ce ne sont pas des…*

– J'ai un cadeau pour toi.
– Qu'est-ce que c'est ?
– Devine !

1. – C'est un livre?
   – Non, ce n'est pas un livre.
2. – Ce sont des chocolats ?
   – Non, ……………………
3. – C'est une montre ?
   – Non, ……………………
4. – Ce sont des fleurs?
   – Non, ……………………
   – Alors, qu'est-ce que c'est ?
   – Ouvre le paquet, tu verras.

C Communication

8. (13) **Mettez les dialogues dans l'ordre. Puis écoutez pour vérifier.**

Dialogue 1

a. C'est combien, la carte postale ?
b. Vous avez des cartes postales ?
c. Un euro.
d. Bonjour, vous désirez ?
e. Oui, bien sûr.

Dialogue 2

a. Voilà, madame.
b. C'est parfait, merci.
c. Merci, c'est combien ?
d. Bonjour, je voudrais une pile.
e. Voilà 1 euro 10 et… 10 !
f. 1,20 euro.

Dialogue 3

a. Oui, bien sûr, tenez, voilà une paire.
b. Elles coûtent combien ?
c. Bonjour, monsieur.
d. Quel type de lunettes cherchez-vous ?
e. Bonjour, je cherche des lunettes.
f. Eh bien, d'accord, j'achète.
g. Vous avez la marque GC ?
h. Elles sont à 59,50 euros.

9. (14) **Complétez le dialogue avec les mots suivants. Puis écoutez pour vérifier.**

je ne comprends pas *vous ne vendez pas*
nous ne vendons pas *vous n'êtes pas*

Cliente : Bonjour, je voudrais un timbre à 2 euros, s'il vous plaît.

Employé de banque : Je suis désolé, madame, mais …………………… de timbre.

Cliente : ……………………, je suis dans une poste, et …………………… de timbre.

Employé de banque : …………………… dans une poste, madame, vous êtes dans une banque.

A Vocabulaire

1. Écrivez les mots en rouge autour des dessins.

a. Sur le dessin 1 :

– on voit un fauteuil et un canapé ;

– il y a un coussin sur le fauteuil ;

– il y a un tableau au dessus du canapé ;

– on voit un vase sur le tableau ;

– il y a des fleurs dans le vase ;

– il y a un tapis par terre.

b. Sur le dessin 2 :

– on voit un lavabo ;

– il y a une glace au-dessus du lavabo ;

– il y a une poubelle au-dessous du lavabo ;

– il y a une serviette accrochée au mur ;

– il y a un gobelet sur le lavabo ;

– il y a une brosse à dents dans le gobelet.

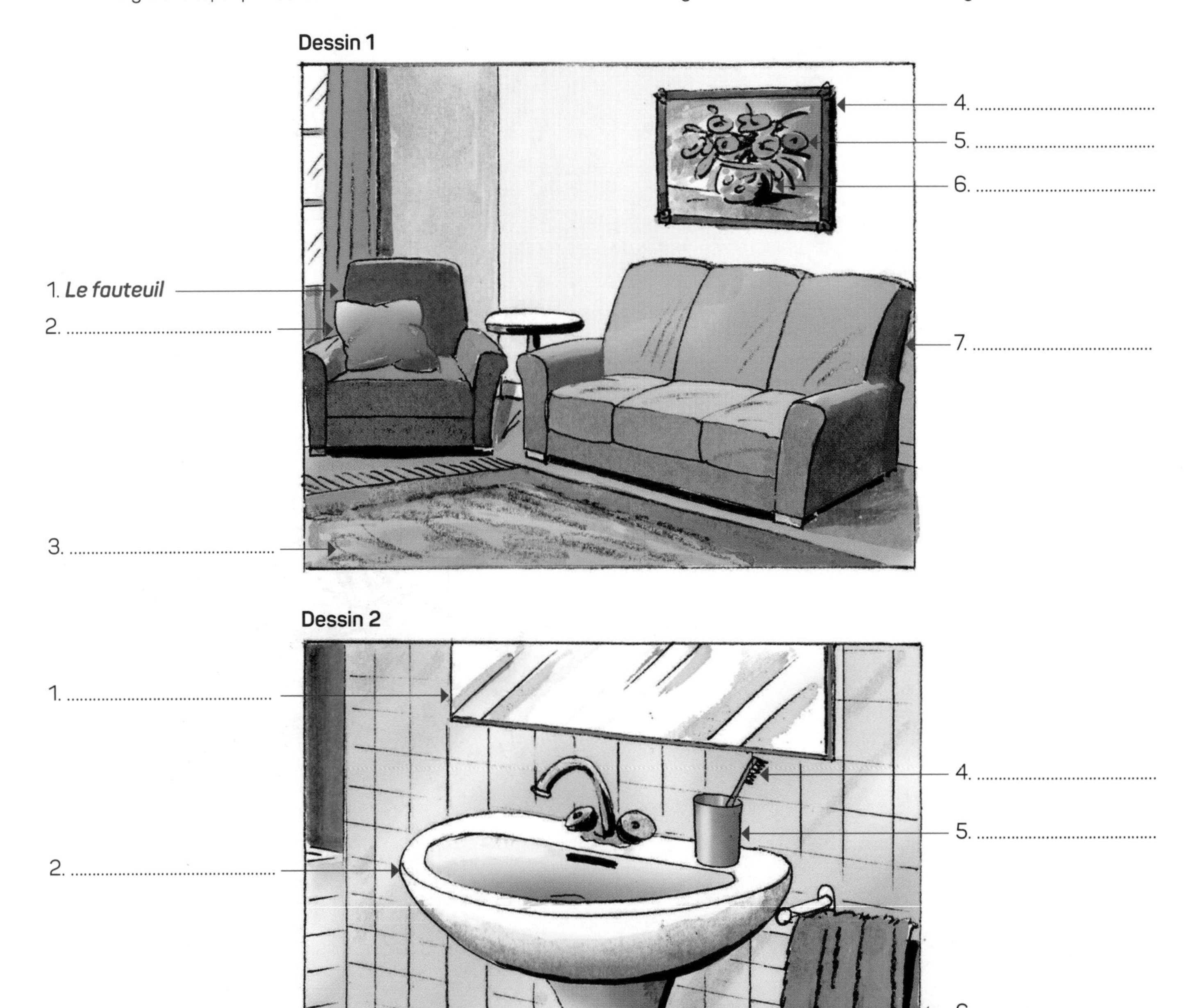

B Grammaire

2. Complétez avec *du, de la, de l'* ou *des*.

a. Rémy habite juste en face de .... église.

2. Il travaille dans un immeuble à côté .... gare.

3. Son bureau se trouve en bas .... escalier.

4. Le bureau de Rémy se trouve à droite .... porte.

5. Le bureau a un tiroir et il y a des clés au fond .... tiroir.

6. Il y a une lampe au-dessus .... bureau.

7. Il y a aussi une table au milieu .... pièce.

8. Et quatre chaises autour .... table.

3. (15) Mettez les répliques dans l'ordre. Puis écoutez pour vérifier.

Dialogue 1

❏ **a.** Je ne trouve pas mes clés.

❏ **b.** Qu'est-ce qu'il y a ?

❏ **c.** Non, ça ne va pas.

4 **d.** Ça va ?

❏ **e.** Mes clés de voiture.

❏ **f.** Quelles clés ?

Dialogue 2

❏ **a.** Regarde dans le tiroir.

❏ **b.** Je cherche une gomme.

❏ **c.** Quoi encore ?

❏ **d.** Maintenant, laisse-moi travailler.

1 **e.** Excuse-moi.

❏ **f.** Ah oui, merci.

C Communication

4. (16) Lisez ou écoutez le dialogue entre Max et Inès et répondez aux questions.

Inès : Qu'est-ce que tu cherches ?
Max : Le dossier Cerise.
Inès : Ce n'est pas le dossier jaune sur la table ?
Max : Non, non, c'est un dossier noir.
Inès : Il y a un dossier par terre, sous la table.
Max : Ah oui, c'est ça, merci. Bon, et maintenant, mes clés de voiture.
Inès : Regarde, elles sont sur l'étagère, à côté de la cafetière.
Max : Ah, génial, merci. Et puis maintenant...
Inès : Quoi encore ?
Max : Mes lunettes. Elles sont dans ma veste. Elle est où, ma veste ?
Inès : Sur la chaise, à côté de la fenêtre.
Max : Ah, oui, merci. Allez, salut !

1. Où est le dossier jaune ? – ....

2. Où est le dossier Cerise ? – ....

3. Où est la cafetière ? – ....

4. Où sont les clés de voiture ? – ....

5. Où sont les lunettes ? – ....

6. Où est la veste ? – ....

A Vocabulaire

1. Complétez les phrases avec les adjectifs suivants.

intéressant *lourd* ***grand*** *facile* *bon marché* *moderne*

1. Sarah est petite, mais Paul est ***grand***.
2. Elle, elle aime le style ancien. Lui, il aime le style ....
3. Pour elle, *Le Monde* est un journal ennuyeux. Pour lui, c'est un journal ....
4. Elle porte des vêtements chers. Lui, il achète des vêtements ....
5. Elle, elle voyage avec une valise légère. Lui, il porte un sac très ....
6. Elle a un travail difficile. Au contraire, le travail de Paul est plutôt ....

2. Supprimer l'intrus.

1. cher – bon marché – ~~***vide***~~
2. épais – ouvert – mince
3. large – étroit – tranquille
4. nouveau – long – court
5. profond – bruyant – silencieux
6. propre – sale – bleu
7. chaud – neuf – froid
8. ennuyeux – mouillé – sec
9. rapide – étonnant – lent
10. bête – petit – intelligent

3. 17 Lisez ou écoutez, puis dites si c'est positif ou négatif.

	Positif	Négatif
1. Le voyage est long et fatigant.	❑	❑
2. Le livre n'est pas intéressant.	❑	❑
3. C'est un appartement spacieux et lumineux.	❑	❑
4. Il travaille dans une petite pièce sombre.	❑	❑
5. C'est un fauteuil confortable.	❑	❑
6. La poubelle est pleine.	❑	❑
7. Ta cravate n'est pas très belle.	❑	❑
8. La cuisine du restaurant est propre.	❑	❑

4. À l'aide du dictionnaire, trouvez le sens des phrases.

1. M. Bosse est un grand patron.
   - ❑ M. Bosse n'est pas petit.
   - ❑ C'est un homme de grande valeur.
2. Paul a sa propre voiture.
   - ❑ La voiture de Paul n'est pas sale.
   - ❑ Paul est propriétaire d'une voiture.
3. Paul a une voiture propre.
   - ❑ La voiture de Paul n'est pas sale.
   - ❑ Paul est propriétaire de sa voiture.
4. Paul visite BCA, son ancienne entreprise.
   - ❑ BCA est l'ex-entreprise de Paul.
   - ❑ BCA est une vieille entreprise.
5. BCA est une entreprise ancienne.
   - ❑ BCA est une ex-entreprise.
   - ❑ BCA est une vieille entreprise.
6. Paul est un curieux garçon.
   - ❑ Paul s'intéresse à tout.
   - ❑ Paul est un garçon bizarre.

B Grammaire

5. Écrivez les adjectifs au féminin.

1. un appartement ancien → une maison ***ancienne***
2. un livre épais → une feuille ....
3. un faux billet → une .... pièce
4. un bon poisson → une .... viande
5. un vélo neuf → une voiture ....
6. un pantalon long → une robe ....
7. un bureau spacieux → une chambre ....
8. un pays étranger → une langue ....

C Communication

6. Nous sommes chez Tior, un magasin de chaussures. Qui prononce les phrases suivantes ? La vendeuse ou le client ?

	Vendeuse	Client
1. Je n'aime pas le noir.	❑	❑
2. Quelle couleur préférez-vous, monsieur ?	❑	❑
3. Vous avez les mêmes en marron ?	❑	❑
4. Elles sont très résistantes.	❑	❑
5. Voulez-vous essayer ?	❑	❑
6. Elles sont chères.	❑	❑
7. Elles sont belles, vous ne trouvez pas ?	❑	❑

7. (18) Un client entre chez Tior. Complétez le dialogue avec les répliques suivantes de la vendeuse. Puis écoutez pour vérifier.

Ah, désolée, nous avons seulement du 39.
Vous n'avez pas un fils, monsieur ?
La caisse est par là, monsieur.
Cinquante euros. Vous faites quelle taille, monsieur ?
Alors, c'est parfait pour votre fils.
Et il chausse du combien ?

Client : Les chaussures noires, elles coûtent combien ?
Vendeuse : ....
Client : Je fais du 43.
Vendeuse : ....
Client : C'est dommage ! C'est trop petit.
Vendeuse : ....
Client : Si.
Vendeuse : ....
Client : Il chausse du 39, je crois.
Vendeuse : ....
Client : Oui, c'est vrai. Eh bien, j'achète.
Vendeuse : ....

A Vocabulaire

1. Cochez l'adjectif qui convient. Puis écoutez pour vérifier.

1. une voiture	❏ rapide	❏ grasse	❏ cuite
2. une valise	❏ bruyante	❏ lourde	❏ nerveuse
3. un musée	❏ ouvert	❏ disponible	❏ lent
4. des lunettes	❏ légères	❏ efficaces	❏ calmes
5. un appartement	❏ facile	❏ malade	❏ sale
6. une pièce	❏ exacte	❏ vide	❏ fréquente
7. un film	❏ pratique	❏ récent	❏ spacieux
8. un fruit	❏ mûr	❏ neuf	❏ moderne
9. une marque	❏ fermée	❏ tranquille	❏ connue
10. un thé	❏ tranquille	❏ neuf	❏ chaud

2. Supprimez l'intrus.

1. connu – inconnu – ~~bleu~~
2. efficace – précis – inefficace
3. bon – mauvais – gros
4. pratique – fragile – solide
5. sûr – mince – dangereux
6. beau – laid – léger
7. original – rapide – banal
8. dur – mou – chaud
9. silencieux – bruyant – spacieux
10. épais – ouvert – fermé
11. sale – neuf – propre
12. large – moderne – étroit

B Grammaire

3. Dites si *on = nous* ou *si on = les gens* ?

	on = nous	on = les gens
1. Qu'est-ce qu'on fait ?	❏	❏
2. On est fatigué, on préfère rester à la maison.	❏	❏
3. On parle français à Montréal.	❏	❏
4. Bon, alors, on achète la chemise bleue ou la verte ?	❏	❏
5. On ne peut pas fumer dans les trains.	❏	❏

4. Transformez les phrases en utilisant *on*.

1. Nous cherchons les ciseaux. → ***On cherche les ciseaux.***
2. Nous faisons des exercices de grammaire. → ....
3. Nous achetons des meubles pour le bureau. → ....
4. Nous n'aimons pas le bruit. → ....
5. Nous avons une Renault. → ....
6. Nous ne sommes pas d'accord. → ....

5. Complétez avec le pronom sujet.

1. Vous, qu'est-ce que ***vous*** préférez ?
2. Elle, ... n'aime pas la télévision.
3. Toi, ... travailles où ?
4. Elles, ... détestent le tabac.
5. Moi, ... n'ai pas de voiture.
6. Lui, ... vend des journaux.
7. Eux, ... adorent le sport.
8. Nous, ... préfère travailler.

6. (20) Complétez avec le pronom tonique. Écoutez pour vérifier.

1. ***Toi***, qu'est-ce que tu aimes ?
2. ...., j'aime le cinéma.
3. ...., on aime bien les livres.
4. ...., qu'est-ce que vous préférez ?
5. ...., elles ont horreur du tabac.
6. ...., il préfère le G34.
7. ...., elle adore les parfums.
8. ...., ils détestent la télévision.

7. Complétez avec *lui, elle, eux, elles.*

1. Elle parle souvent de son patron. Elle parle souvent de ***lui***.
2. Ce livre est à ma collègue. C'est un livre à ....
3. Il habite chez son frère. Il habite chez ....
4. Je travaille avec Pierre et Sarah. Je travaille avec ....
5. C'est un cadeau pour ses filles. C'est un cadeau pour ....

C Communication

8. Vous partez pour l'étranger. Qu'est-ce que vous emportez ? Choisissez un objet dans chaque paire et justifiez votre choix.

- ❑ un gros dictionnaire papier
- ☒ un dictionnaire électronique

Je prends un dictionnaire électronique parce que c'est moins lourd qu'un gros dictionnaire papier.

- ❑ un parapluie
- ❑ un imperméable

....
....

- ❑ des espèces
- ❑ une carte de crédit

....
....

- ❑ un sac à dos
- ❑ une valise

....
....

9. Vrai ou faux ? Testez-vous.

	Vrai	Faux
1. Ford est la plus grande entreprise automobile du monde.	❑	❑
2. Bill Gates est l'homme le plus riche du monde.	❑	❑
3. La tour Eiffel est la tour la plus haute du monde.	❑	❑
4. Wikipedia est le site Internet le plus visité du monde.	❑	❑
5. Monaco est le plus petit État du monde.	❑	❑

A Le point de langue

1. M. Bosse va chez l'opticien pour acheter des ...

- ❑ lunettes
- ❑ chaussures
- ❑ ciseaux
- ❑ légumes

2. Pour acheter de petites fournitures de bureau, il entre dans...

- ❑ une papeterie
- ❑ une boulangerie
- ❑ une librairie
- ❑ une bijouterie

3. « Je voudrais acheter un matelas », demande M. Bosse. « Allez au rayon ... », répond le vendeur.

- ❑ multimédia
- ❑ salle de bains
- ❑ cuisine
- ❑ literie

4. M. Bosse porte une veste en ...

- ❑ papier
- ❑ bois
- ❑ cuir
- ❑ plastique

5. Il a une paire de ... dans la poche.

- ❑ robes
- ❑ gants
- ❑ cravates
- ❑ tailleurs

6. M. Bosse travaille dans un bureau ...

- ❑ spacieux
- ❑ rapide
- ❑ difficile
- ❑ lourd

7. Le bureau est en haut, ... les toits.

- ❑ sous
- ❑ dans
- ❑ sur
- ❑ entre

8. Il met son stylo dans le ... du bureau.

- ❑ peigne
- ❑ sac
- ❑ tiroir
- ❑ radiateur

9. La ... est pleine de papiers.

- ❑ feuille
- ❑ raquette
- ❑ lettre
- ❑ corbeille

10. Où est ma ... ?

- ❑ assiette
- ❑ tasse
- ❑ hôtel
- ❑ écharpe

11. Julie habite un quartier ...

- ❑ agréable
- ❑ dangereuse
- ❑ bruyante
- ❑ ancienne

12. Je connais un ... restaurant.

- ❑ ouvert
- ❑ tranquille
- ❑ japonais
- ❑ bon

13. Les Dupont ... une grande maison.

- ❑ ai
- ❑ avons
- ❑ a
- ❑ ont

14. Sarah a un vélo, elle n'a pas ... voiture.

- ❑ le
- ❑ une
- ❑ la
- ❑ de

15. Elle n'aime pas ... voitures.

- ❑ la
- ❑ des
- ❑ les
- ❑ de

16. – Vous ne mettez pas de cravate ?
– ..., je ne mets pas de cravate.

- ❑ Oui
- ❑ Non
- ❑ Si
- ❑ Pas

17. Les montres suisses sont ... que les montres chinoises.

- ❑ meilleures
- ❑ bonnes
- ❑ mieux
- ❑ bons

18. Le vélo de Paul est aussi léger ... le vélo de Jacques.

- ❑ comme
- ❑ de
- ❑ que
- ❑ avec

B Le point de communication

1. Un client entre dans un magasin de vêtements. Complétez le début du dialogue.

Vendeur : Bonjour ....

....

Client : Vous vendez des chemises en soie ?

Vendeur : ....

....

Client : Bleue, est-ce que vous avez ?

Vendeur : Oui, bien sûr. Regardez, voici une magnifique chemise bleu ciel.

Client : Pas mal. ....

Vendeur : 48 euros.

Client : ....

Vendeur : Je comprends. Mais ....

....

2. Où faites-vous vos exercices de français ? Décrivez la pièce.

....

3. Voici une annonce parue sur le site *lespetites annonces.com*. Lisez l'annonce et répondez aux questions.

Vends vélo de course, Peugeot,
vert, 21 vitesses, 3 plateaux,
compteur, état neuf.
Livré avec chaussures pointure 40.
Prix : 800 €.
Michel. 06 44 76 89 09

1. Qu'est-ce que vend Michel ?

....

2. De quelle couleur est le vélo ?

....

3. Combien de vitesses a le vélo ?

....

4. Est-ce un vélo neuf ou un vélo d'occasion ?

....

5. Combien coûte-t-il ?

....

6. Les chaussures sont-elles gratuites ?

....

7. Que faites-vous si vous êtes intéressé ?

....

4. Vous voulez vendre un objet. Écrivez votre annonce.

....

unité 3

Agenda

1. Donner l'heure

A Vocabulaire

1. Écrivez les heures en chiffres.

1. Il est une heure vingt-cinq. → Il est ***1 h 25***.
2. Il est neuf heures cinquante-trois. → Il est ....
3. Il est vingt-deux heures zéro six. → Il est ....
4. Il est treize heures quarante et une. → Il est ....
5. Il est quinze heures quinze. → Il est ....

2. Associez.

1. Il est midi et quart. → ***c***
2. Il est quatre heures et demie. → ....
3. Il est une heure moins le quart. → ....
4. Il est minuit et demi. → ....
5. Il est midi moins vingt. → ....

a. Il est onze heures quarante.
b. Il est zéro heure trente.
c. ***Il est douze heures quinze.***
d. Il est seize heures trente.
e. Il est douze heures quarante-cinq.

3. Complétez les phrases avec *à l'heure, en avance, en retard*.

1. Moi, je suis ponctuel, je suis toujours ....
2. Sarah a rendez-vous à 10 heures. Elle arrive à 9 heures. Elle est ....
3. Son avion décolle à 16 heures. Il arrive à l'aéroport à 16 heures. Il est ....

4. Trouvez le contraire.

1. Il part ou il ***arrive*** ?
2. La réunion se termine ou elle .... ?
3. En principe, il est en avance ou en .... ?
4. Ce magasin ouvre ou il .... ?
5. Les bureaux sont ouverts ou .... ?

B Grammaire

5. Complétez les phrases avec les verbes suivants.

commencer / finir / ouvrir / fermer.

1. Dans la rue du Commerce, les magasins ***ouvrent*** à 9 heures.
2. Les magasins .... à 19 heures.
3. Chez KM2, les réunions .... à l'heure et .... à l'heure.
4. La poste .... à 8 heures et .... à 19 heures.
5. Le cours de français .... à 13 heures et .... à 15 heures.

6. Complétez en utilisant un adjectif démonstratif : *ce, cet, cette* ou *ces.*

1. – Tu connais ***ce monsieur*** ?

– Oui, c'est M. Bosse, le nouveau directeur.

2. – À qui sont .... ?

– Ce sont les lunettes de Mme Lefort.

3. – À quelle heure commence .... ?

– À quinze heures, comme la réunion d'hier.

4. – Qu'est-ce que vous pensez de .... ?

– À mon avis, c'est le meilleur hôtel de la ville.

7. Complétez ce dialogue avec un adjectif démonstratif.

– Vous connaissez .... restaurant ?

– Oui, c'est le *Diamant rose*.

– Et .... femme, en robe rouge, qui est-ce ?

– C'est la propriétaire du restaurant.

– Et .... jeune homme, qui est-ce ?

– C'est le serveur.

– Et .... gens-là ?

– Ce sont les clients, bien sûr.

C Communication

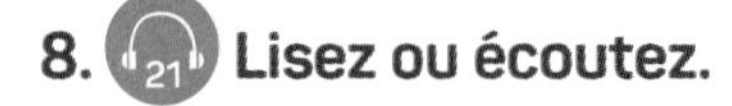

8. (21) Lisez ou écoutez.

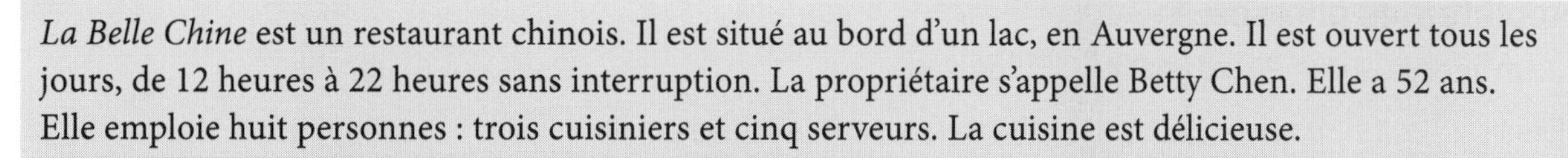

La Belle Chine est un restaurant chinois. Il est situé au bord d'un lac, en Auvergne. Il est ouvert tous les jours, de 12 heures à 22 heures sans interruption. La propriétaire s'appelle Betty Chen. Elle a 52 ans. Elle emploie huit personnes : trois cuisiniers et cinq serveurs. La cuisine est délicieuse.

a. Complétez les questions.

1. Où	→ ***e***	**a.**	a-t-elle ?
2. Comment	→	**b.**	ouvre et ferme le restaurant ?
3. Quel âge	→	**c.**	s'appelle la propriétaire ?
4. Est-ce que	→	**d.**	le restaurant est ouvert le mardi ?
5. À quelle heure	→	**e.**	***se trouve La Belle Chine*** ?
6. Combien de salariés	→	**f.**	emploie *La Belle Chine* ?

b. Maintenant, prenez une feuille. Écrivez les questions de l'exercice a et répondez.

1. – Où se trouve *La Belle Chine* ?

– Le restaurant se trouve en Auvergne, au bord d'un lac.

2. – Etc.

A Vocabulaire

1. Classez les mots dans le tableau.

~~la guitare~~ *le billard* *le violon* *les dominos* *la batterie* *la contrebasse*
le golf *le poker* *les échecs* *la flûte*

Jeux	Instruments de musique
....	***la guitare,*** ....
....	....
....	....

2. (22) Lisez la déclaration suivante et complétez les mots. Puis écoutez pour vérifier.

Fanny, conseillère clientèle : « Je me réveille à 7 heures, je prends une **dou**.........................., je m'habille vite. Je ne prends pas de petit-**déj**.......................... J'arrive vers 8 heures au **bur**.......................... . J'allume mon **ord**.........................., je réponds aux mails, puis je prépare mes **réu**.......................... . Je reçois des **cli**.......................... toute la **jour**.......................... . Vers midi je déjeune avec mes **col**.......................... . Le soir, en **gén**.........................., j'arrive chez moi vers 18 heures. »

B Grammaire

3. Conjuguez au présent.

1. Je (*se préparer*) .... en deux minutes et j'arrive.
2. Il (*se peigner*) .... devant la glace.
3. Elles (*se reposer*) .... un quart d'heure, elles sont fatiguées.
4. On (*se retrouver*) .... où ce soir ?
5. Tu (*se coucher*) .... à quelle heure ?
6. Vous (*se maquiller*) .... trop, mademoiselle.

4. Complétez les phrases.

1. Je ***m'***appell***e*** Julien Picard, j'habite à Bordeaux.
2. Elles .... embrass.................. le matin en arrivant au travail.
3. John et moi, on .... parl.............................. en français.
4. Nous .... retrouv.......................... demain, comme convenu.
5. Tu .... inquièt.............................. pour rien.
6. Ces deux frères .... ressembl.......................... beaucoup.
7. Vous .... douch.............................. le matin ?

5. Écrivez les phrases de l'exercice 4 à la forme négative.

1. ***Je ne m'appelle pas Julien Picard, je*** ....
2. ....
3. ....
4. ....
5. ....
6. ....
7. ....

6. Complétez avec les verbes suivants :

dormir / jouer / faire / sortir / ~~prendre~~ / regarder.

1. Le matin, je ***prends*** une douche.
2. Je .... de chez moi à 8 heures du matin.
3. Ils .... une pause pour le déjeuner.
4. Tu .... bien du piano.
5. Ils .... beaucoup la télévision.
6. Elle .... environ 9 heures par nuit.

7. Imaginez et complétez librement.

1. En ce moment, nous sommes à la ....
2. Ce soir, elle sort au ....
3. On est à l'....................
4. Nous revenons du ....
5. Ils arrivent de la ....
6. Je travaille aux ....
7. Il revient des ....
8. Elle joue de la ....
9. Son frère joue du ....
10. Je joue au ....

C Communication

8. Mettez-vous à la place de Sigrid Amar et d'Antoine Calvino. Racontez librement votre journée de travail.

Sigrid Amar, mannequin et actrice

Je m'appelle Sigrid Amar. Je suis mannequin et ...

....

....

....

....

....

....

....

....

Antoine Calvino, cuisinier dans une pizzeria

....

....

....

....

....

....

....

....

A Vocabulaire

1. Florence Picard travaille comme assistante commerciale dans une banque. Dites si elle réalise les actions suivantes au travail ou à la maison.

	Au travail	À la maison
1. Florence fait la vaisselle.	❑	❑
2. Elle conseille les clients.	❑	❑
3. Elle assiste à des réunions.	❑	❑
4. Elle fait le ménage.	❑	❑
5. Elle prépare le dîner.	❑	❑
6. Elle regarde la télévision.	❑	❑
7. Elle fait des heures supplémentaires.	❑	❑
8. Elle range son bureau avant de partir.	❑	❑
9. Elle parle à un client.	❑	❑
10. Elle prend son petit-déjeuner avec son mari.	❑	❑

2. Complétez avec un verbe approprié.

1. Elle as.. à des réunions.
2. Elle l.. les journaux.
3. Elle ma.. au restaurant le midi.
4. Elle vo.. à l'étranger.
5. Elle éc.. la radio.
6. Elle f.. la cuisine.
7. Elle so.. du travail vers 18 heures.
8. Elle éc.. des lettres et des emails.
9. Elle pr.. des cours de tennis.
10. Elle re.. chez elle après le travail.

3. Classez ces activités dans le tableau.

~~*aller à l'opéra*~~ – *faire la lessive* – *envoyer un mail* – *aller au théâtre*
faire la cuisine – *jouer au basket* – *essuyer la vaisselle* – *faire du vélo*
rédiger un rapport – *voir des expositions* – *faire du ski* – *répondre au téléphone*
répondre au courrier – *faire du jogging* – *ranger la chambre* – *jouer d'un instrument*

Activités culturelles	Activités sportives	Travail de bureau	Tâches ménagères
aller à l'opéra	....	....	....
....	....	....	....
....	....	....	....
....	....	....	....
....	....	....	....

4. Ajoutez d'autres activités dans les colonnes de l'exercice 3.

....	....	....	....
....	....	....	....

5. Mettez dans l'ordre. Puis écoutez pour vérifier.

1. quelquefois / Je / une / sieste / fais / . → ***Je fais quelquefois une sieste.***
2. ne / concert / va / On / au / jamais / . → ……………
3. jouons / parfois / Nous / au / tennis / . → ……………
4. Je / rarement / restaurant / vais / au / . → ……………
5. prends / souvent / très / Je / l'avion / . → ……………
6. Elle / se / jamais / ne / maquille / . → ……………
7. Tu / retard / toujours / es / en / . → ……………

6. Transformez comme dans l'exemple. Attention à la négation !

1. Il utilise son ordinateur. (*pas souvent*) → ***Il n'utilise pas souvent son ordinateur.***
2. Il se lève avant 8 heures. (*jamais*) → ……………
3. Elle fait son travail. (*pas toujours*) → ……………
4. Il se repose le week-end. (*pas souvent*) → ……………
5. Elle est dans son bureau. (*jamais*) → ……………
6. Ils font la fête. (*rarement*) → ……………

C Communication

7. Expliquez pourquoi.

1. Je ne vais jamais à la campagne → ***d***
2. Je vais rarement chez le médecin → ……
3. Je vais parfois à la piscine → ……
4. Je vais souvent au concert → ……
5. Je me lève toujours tard → ……

a. parce que je ne travaille jamais le matin.
b. parce que j'aime bien nager.
c. parce que j'aime la musique.
d. ***parce que j'ai peur des vaches.***
e. parce que je suis toujours en bonne santé.

8. Trouvez la réponse. Puis écoutez pour vérifier.

1. ***Vous aimez lire ?*** → ***e***
2. Vous aimez la musique ? → ……
3. Vous faites du sport ? → ……
4. Vous arrivez tard au bureau ? → ……
5. Vous allez au théâtre ? → ……
6. Vous allez comment au travail ? → ……

a. Rarement, je préfère le cinéma.
b. Je joue quelquefois au tennis.
c. Oui, je vais souvent au concert.
d. Toujours en voiture.
e. ***Non, je ne vais jamais à la bibliothèque.***
f. Oui, le plus souvent après dix heures.

9. Répondez aux six questions de l'exercice 8. Utilisez des adverbes de fréquence.

1. ……………
2. ……………
3. ……………
4. ……………
5. ……………
6. ……………

A Vocabulaire

1. Numérotez les mois de l'année.

❑ mars ☑1 janvier ❑ août ❑ mai
❑ novembre ❑ octobre ❑ février ❑ juin
❑ septembre ❑ juillet ❑ décembre ❑ avril

2. Maintenant écrivez les 12 mois de l'année dans l'ordre.

1. ....
2. ....
3. ....
4. ....
5. ....
6. ....
7. ....
8. ....
9. ....
10. ....
11. ....
12. ....

3. Quelles sont les quatre saisons de l'année ? Complétez.

1. Le p _ _ _ _ _ _ _ _
2. L'é _ _
3. L'a _ _ _ _ _ _
4. L'h _ _ _ _

4. Répondez par le contraire.

1. Il fait beau ? → Non, au contraire, ***il fait moche.***
2. Le ciel est bleu ? → Non, au contraire, ...
3. Le temps est sec ? → Non, au contraire, ...
4. Il fait chaud ? → Non, au contraire, ...
5. Vous aimez la chaleur ? → Non, au contraire, ...

5. (25) Cochez la bonne réponse. Puis écoutez pour vérifier.

1. Il fait froid ?
   ❑ Oui, il y a des nuages.
   ❑ Oui, il gèle.
2. Le soleil brille ?
   ❑ Oui, il fait gris.
   ❑ Oui, il fait un temps splendide.
3. Il pleut ?
   ❑ Non, il neige.
   ❑ Non, il fait humide.
4. ❑ Il fait combien ?
   ❑ Environ 15 degrés.
   ❑ On est le 12.
5. Il fait nuit ?
   ❑ Non, il fait jour.
   ❑ Oui, nous sommes jeudi.
6. Tu travailles lundi ?
   ❑ Non, c'est un jour férié.
   ❑ Oui, je suis en congé.
7. Quel temps fait-il ?
   ❑ Il est dix heures.
   ❑ Il fait moche.
8. Tu entends le tonnerre ?
   ❑ Oui, c'est un orage.
   ❑ Oui, c'est le printemps.
9. Il fait quelle température ?
   ❑ Moins 3.
   ❑ Il y a du soleil.
10. Tu connais la date ?
    ❑ On est en été.
    ❑ On est le 5 juillet.

B Grammaire

6. Complétez avec *en, au* ou *le*.

1. Je suis né .... 1985.
2. Ils arrivent .... 1er septembre.
3. Les cours se terminent .... juin.
4. Je pars .... hiver.
5. Tu reviens .... combien ?
6. Je travaille .... mois d'août.

6. Complétez librement par un indicateur de temps.

1. Je suis né(e) ....
2. Je prends des vacances ....
3. Il fait froid ....
4. Il pleut ....
5. Il ne neige jamais ....
6. Dans mon pays, ... sont des jours fériés.

C Communication

7. 26 Lisez le texte ci-dessous ou écoutez. Puis complétez ce texte avec les phrases suivantes.

1. Les Bazin travaillent trois ou quatre heures par jour.
2. Ils s'en vont et reviennent en mars, au printemps, avec le beau temps.
3. Ce restaurant s'appelle La Crêperie du lac.
4. Les Bazin travaillent douze heures par jour.

La Crêperie du lac

M. et Mme Bazin ont un petit restaurant à Priziac, en Bretagne. **a.** ....

Pourquoi ce nom ? Parce que, dans ce restaurant, les Bazin servent des crêpes. Et aussi parce que Priziac est un village breton situé au bord d'un lac. À Priziac, il y a beaucoup de touristes en été. Les touristes adorent les crêpes bretonnes. *La Crêperie du lac* est ouverte toute la journée. **b.** ....

En automne, il commence à faire froid et il y a peu de touristes. Alors, la crêperie est ouverte seulement le midi. **c.** ....

En hiver, il n'y a pas de touristes et *La Crêperie du lac* est fermée. Pendant l'hiver, les Bazin ne restent pas à Priziac. **d.** ....

A Vocabulaire

1. Numérotez les jours de la semaine.

❑ jeudi ❑ mercredi ❑ vendredi ❑ mardi

❑ lundi ❑ samedi [1] dimanche

2. Écrivez les jours de la semaine dans l'ordre.

1. *dimanche* 3. .... 5. .... 7. ....
2. .... 4. .... 6. ....

3. Supprimez l'intrus.

1. mardi – dimanche – ~~*novembre*~~
2. À bientôt – Bonjour – Cordialement
3. C'est difficile. – C'est d'accord. – C'est entendu.
4. Désolé. – Je regrette. – Pas de problème.
5. libre – occupé – disponible
6. se voir – se rencontrer – se peigner
7. je note – je déjeune – je dîne
8. c'est urgent – c'est pressé – c'est vrai
9. Vous pouvez ? – C'est possible ? – Il fait quoi ?
10. À quelle date ? – À quel âge ? – À quelle heure ?

4. Complétez.

1. Je voudrais pr........................ rendez-vous avec Maître Jacques.
2. Je no........................ mes rendez-vous dans mon a........................
3. Désolé, je ne suis pas li........................ ce jour-là.
4. Quel paresseux ! Il pa........................ ses journées au lit.
5. Pouvez-vous con........................ l'h........................ du rendez-vous ?
6. Pouvez-vous indiquer votre d........................ et votre l........................ de naissance ?

B Grammaire

5. Complétez avec le verbe *pouvoir*.

1. Vous ne ***pouvez*** pas venir jeudi ?
2. Qu'est-ce que je .... faire ?
3. On ne .... pas rester après 10 heures.
4. Ils .... arriver vers 19 heures.
5. Pierre et moi .... nous voir lundi.
6. Pas de problème, tu .... téléphoner après 11 heures.

6. Entourez la bonne réponse.

1. Je prends l'avion [jeudi | le jeudi], à 15 heures.
2. Exceptionnellement, je travaille [dimanche | le dimanche].
3. Je vais souvent au cinéma [samedi soir | le samedi soir].
4. Je ne travaille jamais [lundi | le lundi].
5. La semaine prochaine, on se voit [mardi | le mardi] chez les Dupont.

7. Même exercice : entourez la bonne réponse.

1. Est-ce que tu dors bien [la nuit | cette nuit] ?
2. [Le soir | Ce soir], en général, je reste à la maison, mais [le soir | ce soir] je sors.
3. [Le matin | Ce matin], avant d'aller travailler, elle fait un jogging.
4. Regarde comme il fait beau [l'après-midi | cet après-midi], le ciel est tout bleu.
5. [Le soir | Ce soir], on fête l'anniversaire de Pierre.

C Communication

8. Pour chaque situation, cochez la phrase qui convient.

1. Vous proposez une date.
   - ❑ Le 3 mars, c'est possible ?
   - ❑ Vous êtes libre à quelle heure ?
   - ❑ Qu'est-ce que vous faites en août ?
2. Vous acceptez.
   - ❑ Je regrette.
   - ❑ C'est entendu.
   - ❑ C'est trop tard.
3. Vous refusez.
   - ❑ Malheureusement, je ne peux pas.
   - ❑ Bien sûr.
   - ❑ C'est parfait.
4. Vous confirmez un rendez-vous.
   - ❑ Je vous appelle pour notre rendez-vous.
   - ❑ C'est assez urgent.
   - ❑ On dit donc à 9 heures devant la mairie.

9. (27) Mettez les phrases dans l'ordre. Puis écoutez pour vérifier.

1. *Courrier électronique*

De : Michel Sorman
A : Max Berger
Objet : RE : invitation

❑ Je vais à Londres pour le week-end.
❑ Amitié.
❑ D'abord, merci pour ton invitation.
1 Cher Max,
❑ Michel
❑ Malheureusement, je ne suis pas à Paris dimanche.
❑ Embrasse Brigitte et les enfants de ma part.

2. *Entretien téléphonique*

❑ **a.** Quel jour vous conviendrait ?
❑ **b.** Ah, monsieur Berger, comment allez-vous ?
❑ **c.** Bonjour, je suis Max Berger.
❑ **d.** Demain matin, c'est possible ?
❑ **e.** C'est parfait, merci.
❑ **f.** Un instant... Je peux vous proposer 10 heures.
1 **g.** Cabinet du docteur Bic, bonjour.
❑ **h.** Mal. Est-ce que je peux voir le docteur Bic cette semaine ?
❑ **i.** Alors, à demain, monsieur Berger.
❑ **j.** À demain, merci encore.

A Le point de langue

1. On est quelle ... aujourd'hui ?

- ❑ année
- ❑ heure
- ❑ date
- ❑ journée

2. On est ... octobre.

- ❑ en 6
- ❑ le 6
- ❑ au 6
- ❑ sur le 6

3. Il est neuf heures ... cinq.

- ❑ plus
- ❑ et
- ❑ moins
- ❑ de

4. On est en retard, tu peux ... dépêcher un peu ?

- ❑ me
- ❑ se
- ❑ te
- ❑ vous

5. J'ai rendez-vous à neuf heures ... demie.

- ❑ plus
- ❑ et
- ❑ moins
- ❑ de

6. Il y a du soleil, mais ... froid.

- ❑ on fait
- ❑ on est
- ❑ il fait
- ❑ il est

7. M. Bosse est maniaque, il se couche toujours à 10 heures ...

- ❑ exactes
- ❑ précises
- ❑ correctes
- ❑ strictes

8. Le matin, il se réveille, il ..., il se douche, il se rase et il s'en va.

- ❑ se couche
- ❑ se lève
- ❑ se lave
- ❑ se maquille

9. Il ... toujours son petit-déjeuner au *Café du commerce*.

- ❑ fait
- ❑ prend
- ❑ mange
- ❑ ait

10. « Vous connaissez ... femme blonde là-bas ? » demande M. Bosse.

- ❑ ce
- ❑ cet
- ❑ cette
- ❑ ces

11. M. Bosse ... ses vacances en août.

- ❑ assiste
- ❑ donne
- ❑ fait
- ❑ prend

12. Le 1er mai est un jour ..., il ne travaille pas.

- ❑ arrêté
- ❑ vacant
- ❑ férié
- ❑ ouvert

13. Il va ... au cinéma, peut-être trois ou quatre fois par semaine.

- ❑ jamais
- ❑ parfois
- ❑ rarement
- ❑ souvent

14. Aujourd'hui, le film est très long, il ... trois heures.

- ❑ commence
- ❑ dure
- ❑ finit
- ❑ passe

15. Alors, tu pars ou tu ... ?

- ❑ voyages
- ❑ sors
- ❑ restes
- ❑ vas

16. ... été, M. Bosse est à Cannes.

- ❑ Ce
- ❑ Cet
- ❑ Cette
- ❑ Ces

17. Il ... de Cannes le 25 août.

- ❑ est
- ❑ visite
- ❑ revient
- ❑ va

18. ... hiver, il reste chez lui, au chaud.

- ❑ A
- ❑ En
- ❑ Au
- ❑ Dans

B Le point de communication

1. Quelle est la question ?

2. Nous sommes jeudi. Il est 8 heures du soir. D'après l'annonce ci-dessous, le magasin *Casseprix* est ...

❑ ouvert ❑ fermé

Votre magasin Casseprix est ouvert du lundi au samedi de 9 h 00 à 20 h 30 et le dimanche de 9 h 00 à 13 h 00

3. Voici une page de votre agenda.

MAI		
7	*Lundi*	*12 h 30 Déjeuner au Fromage de Pierre (148 av. Faure, Paris 15)*
8	*Mardi*	*Férié* ....
9	*Mercredi*	*14 h 00 Réunion marketing* ....
10	*Jeudi*	*15 h 20 Paris-Rio AF 876* ....
11	*Vendredi*	*16 h 00 RV M. Tavares* ....

Vous invitez un client à déjeuner dans un restaurant parisien. Proposez une date et une heure entre le 7 mai et le 11 mai.

4. Complétez le mail de Pierre Bosse.

De : Pierre Bosse
A : Sarah Leduc
Date : lundi 07 mars 10 : 23
Objet : Re..........................-vous

Bo.................................., Sarah,

Mon avion ar.................................. demain

mar.................................. à 19 h 30.

Pouvez-vous me ret..................................

mer.................................. matin à 9 heures

à la réception de mon hô.................................. ?

Co..................................

Pierre Bosse

5. Rédigez la réponse de Sarah Leduc.

De : Sarah Leduc
A : Pierre Bosse
Date : lundi 07 mars 10 : 42
Objet : Re..........................-vous

....

....

....

....

....

Je vous attendrai à la réception.

....

....

unité 4

Voyage

1. Aller à l'hôtel

A Vocabulaire

1. Complétez.

	Ascen..		Accès pour les p.. handicapées
	A.. de compagnie acceptés		Salle(s) de r..
	C.. avec d................................ ou b................................		Cli.. dans les chambres
	P..		S.. de s..
	R.. à l'hôtel		Équipement pour les sém..

2. 28 **Entourez la bonne réponse.**

1. Excusez-moi, madame, je | connais | cherche | l'hôtel Astrid.
2. Le bar est | libre | ouvert | 24 heures sur 24.
3. Toutes nos salles sont | équipées | réservées | du matériel le plus moderne.
4. La chambre 56 | donne | fait | sur la cour de l'hôtel.
5. Désolé, nous sommes | complets | disponibles | jusqu'à la fin du mois.
6. Pouvez vous | aider | remplir | cette fiche, s'il vous plaît ?
7. Je voudrais | mettre | régler | ma note tout de suite.
8. Je voudrais une chambre avec deux lits | jumeaux | étroits |.

B Grammaire

3. Complétez avec l'adjectif *tout*.

1. Je vous adresse ***tous*** mes voeux pour cette nouvelle année.
2. .... le monde va à l'hôtel.
3. .... cette partie de l'hôtel est fermée.
4. .... nos clients repartent satisfaits.
5. Nous répondons à .... les réclamations.
6. Bien sûr, notre hôtel est ouvert .... l'année.

4. Complétez avec des adjectifs possessifs.

1. Voici v.................................... clé, monsieur.
2. N.................................... bijoux sont dans le coffre de l'hôtel.
3. Ils sont à l'hôtel avec l.................................... enfants.
4. Elle partage s chambre avec s.................... .... frère.
5. Vous pouvez préparer n.................................... note, s'il vous plaît ?
6. Regarde, c'est l.................................... patron !
7. Est-ce que t.................................... valises sont prêtes ?
8. Il y a une piscine dans m.................................... hôtel.
9. Où sont v.................................... bagages ?

C Communication

5. Un client réserve une chambre d'hôtel par téléphone.

a. Complétez librement le dialogue.

Réceptionniste : Hôtel Astrid, bonjour.

Client : ....

Réceptionniste : Pour quelle date ?

Client : ....

Réceptionniste : Et pour combien de personnes ?

Client : ....

Réceptionniste : Quel type de chambre souhaitez-vous ?

Client : ....

Réceptionniste : La réservation est à quel nom ?

Client : ....

Réceptionniste : Avez-vous un numéro de téléphone ?

Client : ....

Réceptionniste : Bon, je récapitule ....

....

....

....

....

....

29 **b. Écoutez et complétez le compte rendu suivant.**

Le client réserve du .... au .... pour deux personnes une chambre avec un lit .... et une .... La réservation est au nom de ....

Son numéro de téléphone : ....

A Vocabulaire

1. Répondez par le contraire.

1. C'est au premier étage ? – Non, c'est ***au dernier étage***.
2. Est-ce que c'est loin d'ici ? – Non, c'est ....
3. Avant le feu rouge ? – Non, ...
4. C'est au début de la rue ? – Non, c'est ....
5. C'est sur le trottoir de droite ? – Non, c'est ....
6. Ensuite, je tourne, n'est-ce pas ? – Non, pas du tout, c'est ....
7. La rue descend, je crois. – Non, elle ....

2. Complétez les verbes.

1. Qu'est-ce que vous ***cherchez*** ?
2. Vous al.............................. dans cette direction.
3. Vous co.............................. tout droit.
4. Vous tra.............................. le pont.
5. Vous to.............................. à gauche.
6. Vous mo.............................. au cinquième.

B Grammaire

3. Faites des phrases avec le verbe à l'impératif.

1. vous / prendre un taxi → ***Prenez un taxi !***
2. tu / ne pas sortir / d'ici → ***Ne sors pas d'ici !***
3. vous / faire l'exercice → ....
4. nous / prendre le métro → ....
5. tu / réfléchir un peu → ....
6. tu / ne pas aller là-bas → ....
7. vous / attendre un instant → ....
8. fermer / la porte, s'il te plaît → ....
9. nous / ne pas être méchants → ....

4. Écrivez en lettres.

1. la 2ᵉ classe → ***la deuxième classe***
2. le 50ᵉ anniversaire → ....
3. le 19ᵉ arrondissement → ....
4. le 1 000ᵉ candidat → ....
5. le 10ᵉ rang → ....
6. le 34ᵉ étage → ....

5. Complétez avec le mot entre parenthèses. Attention aux accords !

1. la (*second*) .... fois.
2. la (*premier*) .... classe.
3. la (*cinquième*) .... avenue.
4. les (*premier*) .... résultats.
5. la (*dernier*) .... chance.
6. ces (*dernier*) .... années.
7. le (*troisième*) .... exercice.

C Communication

6. 30 Choisissez la bonne réponse. Puis écoutez pour vérifier.

1. Excusez-moi, je cherche la mairie.
   - ❑ Prenez l'ascenseur.
   - ❑ Désolé, je ne sais pas.
2. Excusez-moi, vous connaissez la rue du Bac ?
   - ❑ C'est la première à droite.
   - ❑ Oui, c'est au premier.
3. Le service du personnel, s'il vous plaît ?
   - ❑ C'est au bout du couloir.
   - ❑ C'est sur le trottoir de gauche.
4. Il y a un ascenseur ?
   - ❑ Il est derrière vous.
   - ❑ Oui, au dernier étage.

7. 31 Mettez les phrases du dialogue dans l'ordre. Puis écoutez pour vérifier.

❑ **a.** C'est au sixième étage.

❑ **b.** Oui, absolument. Vous sortez de l'ascenseur, vous allez à gauche, c'est au bout du couloir.

❑ **c.** Excusez-moi, je cherche le bureau de Mme Zimmerman.

❑ **d.** Je vous en prie.

❑ **e.** Ah bon ! Vous êtes sûr ?

❑ **f.** Ah bon ! Merci.

8. Sacha sort du magasin TKV. Regardez le plan ci-contre et répondez à sa question.

Peux-tu m'expliquer comment aller de TKV à la Banque Azur ?
Sacha

C'est très simple. En sortant de TKV, tu ....

....

....

....

....

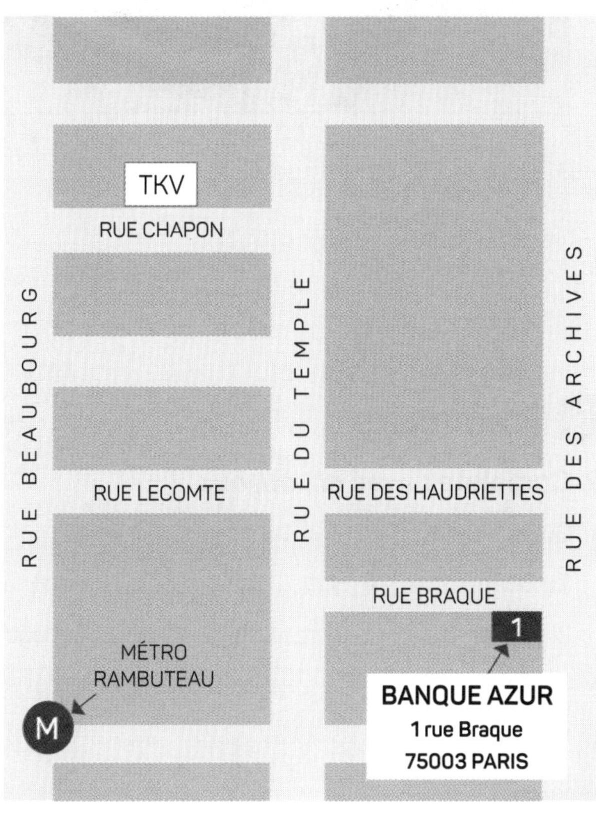

A Vocabulaire

1. (32) Complétez. Puis écoutez pour vérifier.

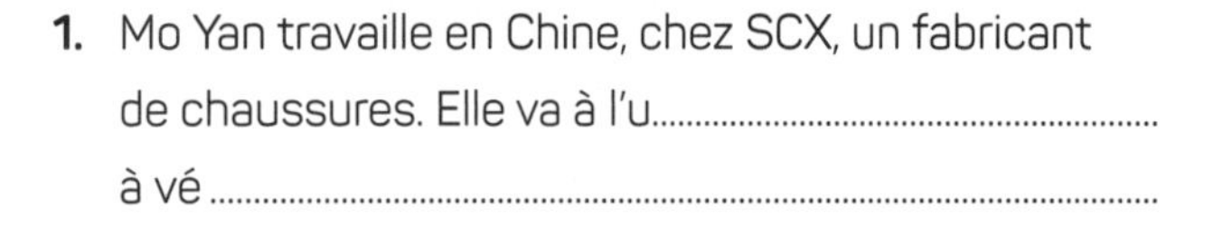

1. Mo Yan travaille en Chine, chez SCX, un fabricant de chaussures. Elle va à l'u.. à vé ....

2. SCX est une ent.. multinationale. Le si .... so .... est à Bruxelles. Le président de SCX s'appelle Alex Kilani.

3. Dans la ville, M. Kilani se dé.. avec sa (grosse) vo.. ou en taxi. Il vo.. souvent en Chine.

4. Michèle est vendeuse dans un ma.. de chaussures, à Paris. Elle va au travail en tr.. .... Le trajet d .... une heure.

B Grammaire

2. Complétez avec *en, au, aux*.

Où se trouve...

1. Budapest ? – .... Hongrie.

2. Dakar ? – .... Sénégal.

3. Caracas ? – .... Venezuela.

4. Alger ? – .... Algérie.

5. Téhéran ? – .... Iran.

6. Le Caire ? – .... Égypte.

7. Montréal ? – .... Canada.

8. Miami ? – .... États-Unis.

9. Vienne ? – .... Autriche.

10. Manille ? – .... Philippines.

3. Complétez avec *à, au, dans, sur*.

1. L'Espagne est .... sud de la France.
2. La Pologne est .... l'est de l'Allemagne.
3. Saint-Louis est .... centre des États-Unis.
4. Cannes se trouve .... la côte méditerranéenne.
5. Ana habite .... la banlieue de Cannes.

4. Complétez les questions.

1. Tu vas ***où*** ? – À Madrid.
2. .... ? – Avec personne, je pars tout seul.
3. .... est-ce que tu voyages ? En avion ? – Oui, bien sûr.
4. .... coûte le billet d'avion ? – 600 euros, aller-retour.
5. .... est-ce que tu ne vas pas en train ? – Parce que je suis pressé.
6. .... est-ce que tu pars ? – Demain matin.
7. .... ? – À 9 heures.
8. Tu restes .... ? – Trois jours.
9. .... est-ce qu'on dit « merci » en espagnol ? – On dit *gracias*.

C Communication

5. Regardez la carte de la France. Situez les villes par rapport à Paris.

1. **Lille *est au nord de Paris.***
2. Strasbourg ....
   ....
3. Bordeaux..
   ....
4. Lyon et Genève ....
   ....

6. Mario travaille à Paris. Sur une feuille séparée, répondez à son message.

Objet : De Paris à Bordeaux

La semaine prochaine, je dois rendre visite à un client à Bordeaux. Ses bureaux se trouvent dans le centre ville. Qu'est-ce que tu me conseilles ? Le train ou l'avion ? Quel est le moyen de transport le plus rapide ? Le plus confortable ? Le moins cher ?
Merci par avance pour tes conseils.
Mario

A Vocabulaire

1. (33) Dites le contraire. Puis écoutez pour vérifier.

Une ville peut être :

1. ennuyeuse ou ***intéressante***.
2. grande ou p ....
3. dangereuse ou s ....
4. propre ou s ....
5. ancienne ou m ....
6. laide ou b..........
7. bon marché ou c..........
8. gaie ou t..........
9. calme ou b ....
10. vivante ou m..........

2. Soulignez le plus grand des deux.

1. un village – ***une ville***
2. un appartement – un immeuble
3. un immeuble – un château
4. une cathédrale – une église
5. un jardin – un parc
6. une rue – une autoroute
7. une autoroute – une route
8. une rue – une avenue
9. un boulevard – un trottoir
10. une boutique – un supermarché
11. un supermarché – un hypermarché
12. un fleuve – une rivière

3. Associez.

1. ***Le transport*** → ***e***
2. Un arrêt → ....
3. Une station → ....
4. Un centre → ....
5. Un feu → ....
6. Un passage → ....
7. Un rond → ....

a. rouge
b. -ville
c. piétons
d. point
e. ***public***
f. de métro
g. de bus

4. (34) Entourez le verbe qui convient. Puis écoutez pour vérifier.

1. Il faut | demander | enlever | respecter | un visa avant de partir.
2. Sois prudent, | conduis | jette | marche | sur le trottoir.
3. Tu peux | t'adapter | te débrouiller | te renseigner | à l'office du tourisme.
4. Elle | achète | loue | vend | son appartement 1 500 euros par mois.
5. Il est interdit de | se baigner | se promener | se reposer | dans le fleuve.

5. Complétez.

1. Quels sont les ho.......... d'o.......... des magasins ?
2. Vous pouvez payer en es.......... ou par carte ba..........
3. Je connais un hôtel de lu. .... situé dans un qu.......... chic.

B Grammaire

6. Qu'est-ce qu'il faut faire dans les situations suivantes ?

1. Vous voulez passer une nuit à l'hôtel Astrid. → ***Il faut réserver une chambre.***
2. Vous voulez envoyer une lettre. → ....
3. Vous voulez regarder un film. → ....
4. Vous voulez apprendre le polonais. → ....
5. Vous voulez vendre votre appartement. → ....
6. Vous voulez être célèbre. → ....

7. Complétez les phrases.

1. (*devoir, vous*) → ***Vous devez arriver*** (*arriver*) à l'heure à vos rendez-vous.
2. (*impératif, tu*) → ***Ne sors pas*** (*ne pas sortir*) après minuit.
3. (*devoir, on*) → .... (*se reposer*) un peu.
4. (*devoir, tu*) → .... (*se lever*) à 6 heures du matin.
5. (*impératif, tu*) → .... (*monter*) en haut de la tour Eiffel.
6. (*il ne faut pas*) → .... (*parler*) fort dans l'église.
7. (*impératif, vous*) → .... (*ne pas boire*) ce vin.
8. (*impératif, tu*) → .... (*ne pas oublier*) ma lettre.

C Communication

8. Un ami français veut visiter votre pays. Répondez à ses questions.

1. Est-ce que j'ai besoin d'un visa ? – ....
2. Comment est-ce que je dois me déplacer :
   – dans le pays ? – ....
   – à l'intérieur des villes ? – ....
3. Quelles villes faut-il visiter en priorité ? – ....
4. Est-ce qu'on peut fumer partout ? – ....
5. Est-ce que ton pays est sûr ? – ....
6. Est-ce que les gens parlent français ? – ....
7. Est-ce que la vie est chère ? – ....
8. Quel temps fait-il en août ? – ....

9. Reconstituez les questions suivantes de votre ami. Puis répondez.

1 d'ouverture / des magasins / sont / les jours / Quels / et horaires / ?

→ ....

– ....

2. pour / les / des / réductions / étudiants / y a-t-il / Dans quel cas ?

→ .... ?

– ....

A Vocabulaire

1. Mettez dans l'ordre, puis récrivez chaque phrase.

- ☐ **a.** Il va sur le quai 5.
- ☐ **b.** Il trouve sa place et il s'assied.
- ☐ **c.** Il descend du train.
- [1] **d.** Amar achète un billet de train.
- ☐ **e.** Il monte dans la voiture 18.
- ☐ **f.** Il arrive à destination.
- ☐ **g.** Il cherche sa place.
- ☐ **h.** Il lit un journal pendant le voyage.
- ☐ **i.** Il sort de la gare.

1. ***Amar achète un billet de train.***
2. ....
3. ....
4. ....
5. ....
6. ....
7. ....
8. ....
9. ....

2. 35 Complétez les questions. Puis écoutez pour vérifier.

1. Vous voyagez en première ou en ***seconde*** ?
2. C'est le tableau des arrivées ou le tableau des d.......... ?
3. C'est le train à destination de Genève ou en p.......... de Genève ?
4. Vous prenez un aller simple ou un aller-r.......... ?
5. Le train s'arrête quelque part ou il est d.......... ?
6. Alors, qu'est-ce que vous faites, vous montez ou vous d.......... ?
7. Tu achètes ton billet sur Internet ou au gui.......... ?
8. Tu payes plein tarif ou tu as une r.......... ?
9. Le train va plus loin ou c'est le term.......... ?

B Grammaire

3. Complétez avec les verbes entre parenthèses au présent.

1. Vous (*aller*) ***allez*** où pour les vacances ?
2. Je (*aller*) .... à Milan en train.
3. Attends une minute, je (*revenir*) .... tout de suite.
4. Ils (venir) .... de quel pays ?
5. Tu (*partir*) .... seul ou avec ta famille ?
6. Ils (*prendre*) .... le train tous les jours.
7. Tu (*venir*) .... une seconde ?
8. Vous (*s'arrêter*) .... où ?
9. Ils (*partir*) .... bientôt pour les États-Unis.
10. Le directeur (*venir*) .... en train.
11. Tu (*voyager*) .... comment ? En train ?
12. On (*prendre*) .... le train demain, à 6 heures du matin.

4. Complétez avec les mots proposés.

a. *où / d'où / par où*

1. Tu sors ***d'où*** ? – Du bureau.

2. Tu vas .... ? – À la poste.

3. Vous passez .... ? – Par Paris.

4. Il s'arrête .... ? – Il ne s'arrête pas, il est direct.

b. *à quel(le) / de quel(le) / par quel(le)*

1. Ton train arrive ***à quelle*** heure? – À midi pile.

2. Vous allez .... endroit ? – Je vais dans le Marais.

3. Tu passes .... rue ? – Par la rue Monge.

4. Tu viens .... pays ? – Du Sénégal.

c. *où / d'où / par où / à quel(le) / de quel(le) / par quel(le)*

1. On entre ***par quelle*** porte ? – Par la porte du fond.

2. Tu arrives .... ? – De chez moi.

3. Vous descendez .... station ? – À Saint-Michel.

4. .... se trouve la gare, s'il vous plaît ? – Au bout de la rue.

5. Vous partez .... terminal ? – Du terminal 2.

6. Il revient .... ? – Par Londres.

C Communication

5. Vous êtes à la gare de l'Est, à Paris. Un agent SNCF répond aux questions des passagers. Regardez le tableau des départs. Écrivez les questions des passagers. Il y a plusieurs questions possibles.

DÉPART			
TRAIN N°	HEURE	DESTINATION	VOIE
1724	10 H 46	NANCY STRASBOURG MUNICH	8
1640	10 H 48	METZ LUXEMBOURG	14
1890	10 H 54	REIMS THIONVILLE SARREBRÜCK MANNHEIM	20
1043	10 H 54	ÉPINAL MULHOUSE BÂLE ZURICH	12
1775	11 H 02	LUNÉVILLE COLMAR	5
LE NUMÉRO DE LA VOIE EST AFFICHÉ ENVIRON 20 MINUTES AVANT LE DÉPART.			

1. ***À quelle heure part le train pour Colmar ?*** – À 11 h 02.

2. .... ? – De la voie 8.

3. .... ? – Non, il s'arrête à Metz.

4. .... ? – Par Nancy et Strasbourg.

5. .... ? – À Lunéville.

A Le point de langue

1. Fais attention, sois ... !

- ❑ calme
- ❑ prudent
- ❑ libre
- ❑ serviable

2. Combien coûte le ... de train de Lyon à Paris ?

- ❑ billet
- ❑ titre
- ❑ ticket
- ❑ papier

3. Dans son ... de Slovaquie, Peugeot fabrique de petites voitures.

- ❑ atelier
- ❑ magasin
- ❑ entrepôt
- ❑ usine

4. Le train part de la ... numéro 4.

- ❑ classe
- ❑ station
- ❑ gare
- ❑ voie

5. ..., tout le monde descend !

- ❑ Arrêt
- ❑ Fin
- ❑ Bout
- ❑ Terminus

6. Il faut bien connaître son ... de la route pour avoir son permis de conduire.

- ❑ code
- ❑ manuel
- ❑ droit
- ❑ règlement

7. Vous habitez dans le centre ou en ... ?

- ❑ banlieue
- ❑ voiture
- ❑ ville
- ❑ tramway

8. Il faut présenter une ... d'identité pour tout paiement par chèque.

- ❑ copie
- ❑ note
- ❑ feuille
- ❑ pièce

9. Le ... social de Danone est à Paris.

- ❑ centre
- ❑ château
- ❑ bureau
- ❑ siège

10. Dans les gares, les voyageurs sont priés de surveiller ... bagages.

- ❑ ces
- ❑ leur
- ❑ ses
- ❑ leurs

11. L'office du tourisme répond à ... vos questions sur la région.

- ❑ tout
- ❑ tous
- ❑ toute
- ❑ toutes

12. Sois gentil, ne ... pas tes pieds ici !

- ❑ mets
- ❑ mettons
- ❑ met
- ❑ mettez

13. Il est né en ...

- ❑ Brésil
- ❑ Portugal
- ❑ Inde
- ❑ Vietnam

14. – ... est-ce qu'il revient ?
– Demain, je crois.

- ❑ À quelle heure
- ❑ Pourquoi
- ❑ Comment
- ❑ Quand

15. D'où est-ce que vous ... ?

- ❑ allez
- ❑ passez
- ❑ arrivez
- ❑ vivez

16. Il préfère voyager ... train.

- ❑ à
- ❑ en
- ❑ au
- ❑ le

17. Excusez-moi, j'ai oublié ... nom.

- ❑ ton
- ❑ votre
- ❑ tes
- ❑ vos

18. Pour le visa, tu dois ... au consulat.

- ❑ m'adresser
- ❑ s'adresser
- ❑ t'adresser
- ❑ vous adresser

B Le point de communication

1. Complétez la bulle.

2. Complétez ce mail de Camille Lafarge. Il y a plusieurs possibilités.

De : Tour Owel
A: Hôtel Astrid
Objet : Demande d'in..

B..................................,
Nous sommes une agence de voyages suisse. Nous organisons un sé.. à Paris pour un g... de 14 personnes.
Nous so.. réserver 7 c.. doubles pour trois n.. , du 12 au 15 avril.
Pouvez-vous nous com.. vos tarifs et vos conditions de réservation ?
M.. par avance.
Camille Lafarge

3. Les phrases suivantes sont extraites de la réponse de l'hôtel Astrid à Camille Lafarge. Complétez ces phrases.

1. Nos .... sont de 80 euros par .... et par nuit, petit-.. compris.
2. Nos chambres doubles avec deux .... jumeaux ou un lit .... sont équipées d'une salle de .... avec baignoire ou ....

Merci de nous indiquer vos préférences.

4. Pierre Bosse est en voyage d'affaires dans votre pays. Pendant un week-end, il voudrait visiter votre ville. Qu'est-ce que vous lui conseillez ?

....
....
....
....
....
....
....
....
....
....
....
....
....
....
....
....
....
....
....
....
....

unité 5

Travail

1. Participer à un déjeuner d'affaires

A Vocabulaire

1. Paul et Jacques entrent dans un restaurant. Mettez dans l'ordre.

- ❑ **a.** Ils laissent un pourboire.
- ❑ **b.** Ils payent l'addition.
- ❑ **c.** Ils passent commande.
- [1] **d.** Ils s'assoient à une table.
- ❑ **e.** Ils mangent bien.
- ❑ **f.** Ils quittent le restaurant.
- ❑ **g.** Ils consultent la carte.
- ❑ **h.** Ils demandent l'addition.

2. Dites à quelle étape de l'exercice 1 Paul et Jacques ont prononcé les phrases suivantes.

1. L'addition, s'il vous plaît ! → *h*
2. Avec une carafe d'eau, s'il vous plaît. → ....
3. Alors, qu'est-ce que tu prends ? → ....
4. Vous acceptez les chèques ? → ....
5. Asseyons-nous ici, près de la fenêtre. → ....
6. On laisse combien ? → ....
7. C'est bon, tu ne trouves pas ? → ....
8. On y va ? → ....

3. Supprimez l'intrus.

1. café – ~~***bière***~~ – thé
2. concombre – riz – tomate
3. agneau – bœuf – thon
4. melon – jambon – saucisson
5. pomme – œuf – poire
6. chou-fleur – gâteau – glace
7. sel – cerise – poivre
8. saumon – sardine – veau
9. camembert – chèvre – pain
10. crevette – crabe – épinard
11. canard – poulet – porc
12. pâtes – lait – yaourt

B Grammaire

4. Conjuguez les verbes entre parenthèses au présent.

1. Tu (*manger*) .... quoi ?
2. Nous (*manger*) .... à 8 heures du soir.
3. Je (*boire*) .... un litre d'eau tous les jours.
4. Qu'est-ce que vous (*boire*) .... ?
5. Ils (*boire*) .... beaucoup.
6. Je ne (*prendre*) .... pas d'entrée.

5. Transformez au futur proche.

1. Vous partez. → *Vous allez partir.*
2. Nous sortons. → ....
3. Tu viens. → ....
4. Je me présente. → ....
5. Ils dorment. → ....
6. On s'assied. → ....

6. 36 Complétez avec *du*, *de l'* ou *de la*. Puis écoutez pour vérifier.

1. Ici, le poisson est très bon. → Alors, je vais prendre ***du*** poisson.
2. L'ail, c'est bon pour la santé. → Alors, je mange .... ail.
3. Elle préfère le riz indien. → Alors, elle achète .... riz indien.
4. Il aime la bière. → Alors, il boit .... bière.
5. Il adore l'eau gazeuse. → Alors, il boit seulement .... eau gazeuse.
6. Ici, le vin n'est pas cher. → Alors, on prend .... vin.

7. 37 Transformez à la forme négative. Puis écoutez pour vérifier.

1. Je mets du lait dans mon café. → ***Je ne mets pas de lait dans mon café.***
2. J'aime le poisson. → ....
3. Je mange du poisson. → ....
4. Je veux de la moutarde. → ....
5. Je connais la cuisine mexicaine. → ....
6. Je bois de l'eau. → ....
7. J'aime les frites. → ....
8. Je prends des frites. → ....

C Communication

8. 38 Vous êtes dans un restaurant français. Le serveur vous pose des questions. Cochez la réponse qui convient. Puis écoutez pour vérifier.

1. Vous avez choisi ?
   - ❑ Oui, s'il vous plaît, avec du lait.
   - ❑ Non merci, c'est gentil.
   - ❑ Je vais prendre le menu à 20 euros.
2. Vous prenez un apéritif ?
   - ❑ Je vais prendre un kir.
   - ❑ Si, bien sûr.
   - ❑ C'est quoi, la salade du chef ?
3. Qu'est-ce que vous prenez en entrée ?
   - ❑ La tarte aux fraises.
   - ❑ Une soupe à l'oignon.
   - ❑ Un steak bien cuit, s'il vous plaît.
4. Et comme plat ?
   - ❑ Des frites, s'il vous plaît.
   - ❑ Je vais prendre le canard à l'orange.
   - ❑ Pour moi, le plateau de fromages.
5. Qu'est-ce que vous prenez avec le poisson ?
   - ❑ Une crème caramel, s'il vous plaît.
   - ❑ Un morceau de roquefort, c'est très bien.
   - ❑ Du riz.
6. Vous prenez un fromage ?
   - ❑ Oui, un petit chèvre pour moi.
   - ❑ Non, je préfère le camembert.
   - ❑ Vous avez quel parfum ?

A Vocabulaire

1. Mettez dans l'ordre.

- ☐ **a.** Nous parlons.
- ☐ **b.** Je compose le numéro.
- ☐ **c.** Je raccroche.
- 2 **d.** J'attends la tonalité
- ☐ **e.** Mon correspondant décroche.
- 1 **f.** Je décroche.
- ☐ **g.** Le téléphone sonne.

Je décroche *Le téléphone sonne.* *Je raccroche.*

2. (39) Entourez le mot qui convient. Puis écoutez pour vérifier.

1. Le téléphone sonne, je | rappelle | raccroche | décroche |.

2. Il n'est jamais là, on tombe toujours sur son | répondeur | annuaire | adresse |.

3. Composez le numéro et appuyez sur | le numéro | le téléphone | la touche | étoile (*).

4. Elle est en réunion, pouvez-vous | patienter | rappeler | joindre | un peu plus tard ?

5. Je peux | laisser | parler | dire | un message ?

6. Je voudrais passer un coup de | fil | fax | mail |.

3. (40) Complétez les mots. Puis écoutez pour vérifier.

1. Bonjour, c'est Anne Lepage à l'ap.................. ....

2. Vous êtes bi.. monsieur Bert ?

3. Voulez-vous l.. un message ?

4. Je voudrais une information con .... l'affaire Cerise.

5. Vous pouvez j.................................. M. Bert ce soir, à partir de 17 heures.

6. Vous pouvez com.................. .... sur moi, Mme Lepage.

B Grammaire

4. Complétez avec *me (m'), te (t'), nous, vous*.

1. Ce soir, on dîne chez les Dupont. Ils .... invitent souvent.

2. Je .... apprécie beaucoup, vous et votre collègue.

3. Nous ne .... croyons pas, tu ne dis pas la vérité.

4. Est-ce que je peux .... aider, madame ?

5. Pierre .... attendra à la gare. À quelle heure arrive ton train ?

6. Je ne comprends pas, vous pouvez .... expliquer ?

7. Vous pouvez .... attendre ? On arrive dans cinq minutes.

8. Je .... ramène chez toi en voiture, si tu veux.

9. Mesdames, messieurs, je .... remercie pour votre attention.

10. Je ne .... entends pas, tu peux parler plus fort ?

5. Complétez avec *le, la, l', les*. Puis écoutez pour vérifier.

1. Vous parlez espagnol ?
– Je ***le*** comprends, mais je ne........................ parle pas.

2. – Qu'est-ce que tu penses de la nouvelle directrice ?
– Je .... aime bien, pas toi ?

3. – Tu parles souvent à Sarah ?
– Oui, je viens de .... avoir au téléphone.

4. – Alors, prends une décision, tu prends quelle veste, la noire ou la grise ?
– Je .... achète toutes les deux.

5. – M. Bosse a une secrétaire sympathique, tu ne trouves pas ?
– C'est vrai, mais il .... traite mal.

6. Transformez au passé récent (*venir de + infinitif*).

1. Nous partons. → ***Nous venons de partir.***
2. Il pleut. → ....
3. Vous dormez. → ....
4. Tu te reposes. → ....
5. Je me lève. → ....
6. Ils reviennent. → ....
7. Tu payes. → ....
8. On arrive. → ....
9. Ils se disputent. → ....
10. Elle appelle. → ....

C Communication

7. Vous êtes au téléphone. Cochez la bonne réponse. Puis écoutez pour vérifier.

1. Société Lefort, bonjour !
❑ Bonjour, je suis monsieur Bernadin.
❑ Salut, je suis monsieur Bernadin.

2. Je pourrais parler à M. Bert ?
❑ Bert, il est pas là.
❑ M. Bert est absent pour la journée.

3. C'est de la part de qui ?
❑ C'est moi.
❑ C'est Félix à l'appareil.

4. Je vous passe M. Bert.
❑ Merci.
❑ Okay.

5. Je suis bien au restaurant *La Casserole* ?
❑ Désolé, vous faites erreur.
❑ Vous voulez manger quoi ?

6. Est-ce que Mme Bert est là ?
❑ Ça dépend. Vous êtes qui ?
❑ Vous êtes madame... ?

7. Voulez-vous laisser un message ?
❑ Non, je rappellerai.
❑ Un instant, je réfléchis une minute.

8. Est-ce que Mme Bert a votre numéro ?
❑ Je ne crois pas, elle perd tout.
❑ Je ne suis pas sûr.

8. Complétez cet extrait de conversation téléphonique.

1. – ....
– Je regrette, M. Bert est en déplacement.

2. – ....
– Je suis Anne Lepage, du cabinet Mazard.

3. – ....
– C'est au sujet de l'affaire Cerise.

4. – ....
– Vous pouvez le joindre demain matin

A Vocabulaire

1. Mettez dans l'ordre.

❑ **a.** J'ai consulté les offres d'emploi sur Internet.

❑ **b.** J'ai commencé à travailler tout de suite.

❑ **c.** J'ai rempli le formulaire de réponse.

❑ **d.** J'ai trouvé une offre intéressante.

[1] **e.** Mon entreprise a fait faillite et j'ai perdu mon travail.

❑ **f.** J'ai passé un entretien d'embauche.

2. Complétez.

1. J'ai fait mon C.V. et j'ai écrit une lettre de m..........

2. Je suis dis .... immédiatement. Je peux commencer demain.

3. Je suis le meilleur c.......... .... : intelligent, flexible, motivé.

4. – Excusez-moi, vous g.......... combien par mois ?

– 6 000 euros, j'ai bien négocié mon sa..........

3. Vrai ou faux ?

	Vrai	Faux
1. Il a des notions de français. = Il parle très bien français.	❑	❑
2. Il a une formation de juriste. = Il a étudié le droit.	❑	❑
3. Il n'a pas d'expérience professionnelle. = Il n'a pas travaillé.	❑	❑
4. Il a le sens du contact. = Il aime être seul.	❑	❑
5. Il sait travailler en équipe. = Il aime bavarder avec ses collègues.	❑	❑

B Grammaire

4. Dites si c'est au présent ou au passé.

	Présent	Passé
1. Il repasse sa chemise tous les matins.	❑	❑
2. Aujourd'hui on a bien travaillé.	❑	❑
3. Il a traversé la rivière à la nage.	❑	❑
4. Elle fait ses courses après le travail.	❑	❑
5. J'ai fait mes études au Canada.	❑	❑

5. Mettez au passé composé.

1. Je signe. → ***J'ai signé.***

2. Elle étudie. → ....

3. Tu voyages. → ....

4. Ils entendent. → ....

5. Il neige. → ....

6. Nous choisissons. → ....

7. Vous vieillissez. → ....

8. Je rougis. → ....

9. Il attend. → ....

10. J'achète. → ....

6. Écrivez l'infinitif des participes passés.

a. *boire / connaître / croire / devoir / mettre / offrir / pouvoir / ~~pleuvoir~~ / savoir / venir*

1. plu → ***pleuvoir***
2. bu → ……………
3. cru → ……………
4. mis → ……………
5. su → ……………
6. pu → ……………
7. dû → ……………
8. offert → ……………
9. venu → ……………
10. connu → ……………

b. *avoir / être / faire / mourir / naître / ouvrir / recevoir / traduire / vivre / voir*

1. vu → ……………
2. fait → ……………
3. ouvert → ……………
4. été → ……………
5. eu → ……………
6. né → ……………
7. mort → ……………
8. reçu → ……………
9. vécu → ……………
10. traduit → ……………

7. (43) Lisez ci-dessous le témoignage de Sarah Gomez ou écoutez. Puis, sur une feuille séparée, écrivez son témoignage au passé. Commencez par « Bon alors, hier... »

Sarah GOMEZ, responsable de la production chez ABC : « Bon, alors, aujourd'hui, qu'est-ce que je fais ? À 10 heures, je reçois la délégation du Japon. Nous visitons l'usine. À midi, nous déjeunons ensemble à *La Casserole*. À 14 heures, nous avons une réunion. Les Japonais font des propositions intéressantes. La réunion dure environ une heure et nous signons un contrat. À 15 heures, je vois Dupont. Nous parlons du contrat avec les Japonais. Après, je travaille seule au bureau. Je relis le contrat. Je passe quelques coups de fil (j'appelle Roberto). Je prends l'avion à 18 heures pour l'Italie. Le soir, je dors à Venise (avec Roberto). »

C Communication

8. (44) Voici des questions extraites d'un entretien d'embauche. Cochez la meilleure réponse. Puis écoutez pour vérifier.

1. Quelle est votre formation ?
- ❑ J'ai étudié le droit.
- ❑ J'ai travaillé comme juriste.

2. Pourquoi avez-vous arrêté vos études ?
- ❑ Parce que j'ai raté mes examens.
- ❑ J'ai préféré travailler rapidement.

3. Pourquoi voulez-vous changer d'emploi ?
- ❑ Votre offre m'intéresse beaucoup.
- ❑ Je n'aime pas mon patron.

4. Est-ce que vous connaissez Orion ?
- ❑ Bien sûr, j'ai souvent travaillé avec.
- ❑ Oui, mais j'aime pas, c'est nul.

5. Est-ce que vous avez des enfants ?
- ❑ Ça ne vous regarde pas.
- ❑ Oui, j'ai un garçon et une fille.

6. Est-ce que vous savez nager ?
- ❑ Vous avez des questions bizarres.
- ❑ Bien sûr, pourquoi ?

A Vocabulaire

1. 45 Entourez le mot qui convient. Puis écoutez pour vérifier.

Dix années de Marco après le bac

1. Marco a | passé | fait | pris | son bac à 18 ans.
2. Ensuite, il a étudié le marketing dans une école de | business | commerce | cuisine |.
3. À la fin de ses études, il a fait un | stage | exercice | emploi | de six mois chez KM2.
4. Après ces six mois, KM2 a | reçu | embauché | entré | Marco pour une durée indéterminée.
5. Marco a | passé | habité | vécu | dix ans chez KM2.
6. Il a changé de | poste | salle | chambre | trois fois.
7. En 2022, il a obtenu une | faveur | promotion | retraite | importante.
8. Il est devenu responsable du | département | travail | service | commercial.
9. Mais le mois dernier, il a | démissionné | quitté | laissé |.
10. Il a décidé de | construire | fermer | créer | son | entreprise | quartier | usine |.

2. Complétez.

Nouvelle nomination chez KM2

1. Léo Van de Mole est le nouveau res.. de la comptabilité chez KM2. Il re.. Mme Martin, 65 ans, qui a pris sa re..
2. Léo Van de Mole a fait des ét.. de comptabilité. Il a travaillé plusieurs années au se.. comptable de KM2.
3. Léo Van de Mole est heureux d'avoir obtenu ce po.. de responsabilité. « C'est une belle pro.. », a-t-il déclaré.

B Grammaire

3. Soulignez les verbes qui se conjuguent avec *être* au passé composé.

appeler	savoir	***venir***	monter	tomber	chanter
naître	vivre	mourir	finir	prendre	devenir
avoir	être	arriver	entrer	acheter	rester
sortir	partir	voyager	aller	envoyer	dormir

4. Entourez la bonne réponse.

1. Elle est | tombé | tombée | tombés | tombées | dans l'escalier.
2. Ils ne sont pas | rentré | rentrée | rentrés | rentrées | de vacances.
3. Hier soir, Paul et Sarah sont | passé | passée | passés | passées | à la maison.
4. Les sœurs Brunel sont | devenu | devenue | devenus | devenues | des stars de cinéma.
5. M. Morin est monté | monté | montée | montés | montées | au troisième étage.

5. Complétez avec *avoir* ou *être*.

1. Je ***suis*** né le 13 mars 1989.
2. Elle .... épousé son assistant.
3. Ils .... licencié le comptable.
4. Vous .... arrivé quand ?
5. Tu .... revenue quel jour ?
6. Il n'.................................... pas compris la question.
7. Je .... resté deux jours à Paris.
8. Nous .... acheté une maison.
9. Ils .... créé leur entreprise.
10. Vous .... passé par Varsovie ?
11. Elle n'.................................... pas allée au travail.
12. Il .... devenu directeur.

6. Faites des phrases au passé.

Où est-ce qu'ils sont allés cette année ?

1. Mes voisins / déménager / à Lyon. → ***Mes voisins ont déménagé à Lyon.***
2. Adrien / faire un voyage en Inde. → ***Adrien*** ....
3. Les Dupont / partir à l'étranger. → ....
4. Moi, je / rester à Paris. → ....
5. Et vous, vous / aller où ? → ....
6. Nous, on / ne pas partir non plus. → ....

C Communication

7. 46 Associez les questions et les réponses. Puis écoutez pour vérifier.

1. Vous êtes sortis hier soir ? → *c*
2. Vous avez éteint ? → ....
3. Vous êtes entrés à l'intérieur ? → ....
4. Vous avez changé de poste ? → ....
5. Vous avez fini ? → ....
6. Vous avez bien dormi ? → ....
7. Vous avez écrit à Mme Bert ? → ....
8. Vous avez reçu la facture ? → ....
9. Vous avez eu du beau temps ? → ....
10. Vous avez voyagé ? → ....

a. Oui, ça y est, on a terminé.
b. Oui, je suis passé au standard.
c. ***Non, on est resté à la maison.***
d. Non, j'ai laissé allumé.
e. Non, j'ai fait des cauchemars.
f. Oui, mais elle n'a pas répondu.
g. Oui, on est allé au Mexique.
h. Non, on est resté dehors.
i. Oui, j'ai déjà payé.
j. Non, il a plu toute la semaine.

8. Complétez les bulles avec des questions et des réponses de l'exercice 7.

5. Répondre à ses mails

A Vocabulaire

1. Classez ces expressions de la plus formelle à la moins formelle.

1. *Pour commencer un mail.*

❑ **a.** Salut Paul,
❑ **b.** Bonjour Paul,
❑ **c.** Cher collègue,
❑ **d.** Mon chéri,
1 **e.** Monsieur,

2. *Pour terminer un mail*

❑ **a.** Meilleures salutations.
❑ **b.** Amitiés.
❑ **c.** Cordialement.
❑ **d.** Je t'embrasse.
❑ **e.** Salutations respectueuses.

2. Ces phrases sont extraites de différents mails. Complétez les mots incomplets.

1. J'espère que vous al.. bien.
2. Je vous en .... en pièce jointe le programme du séminaire.
3. Nous vous rem.. de votre candidature.
4. Pouvez-vous me répondre dans les meilleurs dé.. ?
5. Me.. de bien vouloir m'envoyer votre dernier catalogue.
6. Vous trouverez ci-jo.. un formulaire d'inscription.

3. Complétez avec les verbes suivants : *reste / prie / regrette / remercie / espère.*

1. Je vous .... par avance.
2. Je .... de ne pas pouvoir vous donner satisfaction.
3. Je .... dans l'attente de votre réponse.
4. J'.. que cette solution vous conviendra.
5. Je vous .... d'excuser cet incident.

B Grammaire

4. Quelle peut être la question ? Utilisez *est-ce que.*

1. ***À quelle heure est-ce que tu prends le train ?*** – Je le prends à 16 heures.
2. .... ? – Oui, je lui ai répondu hier.
3. .... ? – Je leur ai dit la vérité.
4. .... ? – Je la vois demain.
5. .... ? – Ils l'ont livrée jeudi.

5. Mettez dans l'ordre.

1. leur / as / Est-ce que / téléphoné / tu / ? → ***Est-ce que tu leur as téléphoné ?***
2. parle / ne / pas / Elle / me / . → ....
3. peux / me / Tu / ta voiture / prêter / ? → ....
4. Je / une question / poser / voudrais / vous / → ....
5. un bracelet / Je / pour Noël / ai offert / lui / . → ....

6. (47) **Complétez les réponses avec un pronom. Puis écoutez pour vérifier.**

a. *le, la, l'* ou *lui* ?

1. Tu as écrit à *Jacques* ? – Je suis en train de ***lui*** écrire.

2. Elle a vendu *sa voiture* ? – Oui, elle .... a vendue un bon prix.

3. On laisse un pourboire *au serveur* ? – On peut .... laisser cinq euros.

4. Tu vois *Catherine* bientôt ? – Non, je ne .... vois pas avant l'été.

b. *les, lui* ou *leur* ?

1. Vous lisez *les journaux* ? – Je .... lis de temps en temps, et vous ?

2. Qu'est-ce que vous offrez *au patron* ? – On va .... offrir une cravate.

3. Il a rendu visite *aux Dupont* ? – Oui, il .... a rendu visite hier.

4. Vous invitez *vos collègues* chez vous ? – Oui, je .... invite souvent.

C Communication

7. Lisez les mails ci-dessous. Où mettez-vous les phrases suivantes ?

1. Je vous remercie de votre confiance → ....

2. Pouvez-vous me communiquer les horaires ? → ....

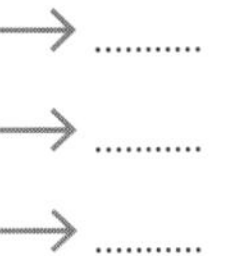

3. Tout doit disparaître. → ....

4. Je te le rapporte lundi prochain. → ....

5. Heureusement, tout va bien maintenant. → *a*

6. Jonathan n'est pas disponible avant. → ....

Cher Jean-Luc,
Merci pour ton mail. Ma mère a eu un petit malaise jeudi soir et je suis rentré en Belgique. [**a**] À bientôt,
Thomas

Michel,
Est-ce que tu peux m'envoyer le dossier Cerise? [**d**]
Nathalie

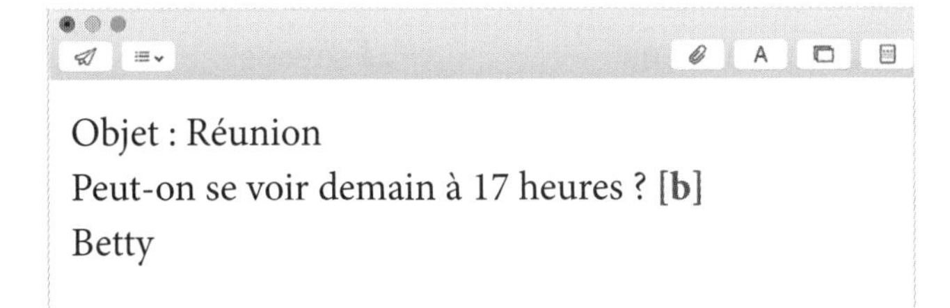

Objet : Réunion
Peut-on se voir demain à 17 heures ? [**b**]
Betty

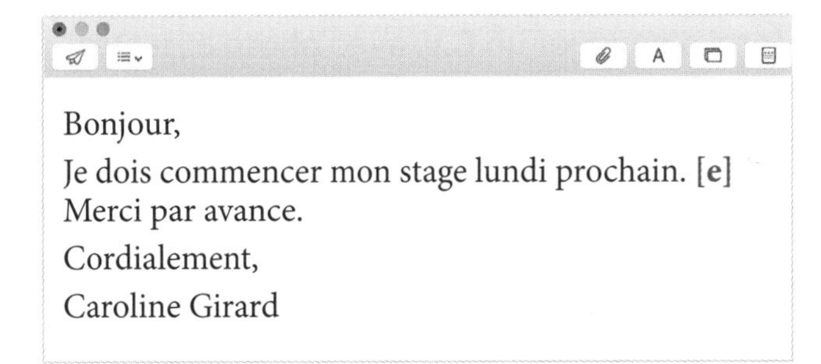

Bonjour,
Je dois commencer mon stage lundi prochain. [**e**]
Merci par avance.
Cordialement,
Caroline Girard

N° de client : 90859376
Monsieur,
Je vous informe que votre commande est partie aujourd'hui. [**c**]
Bien cordialement
Leila Moussaoui

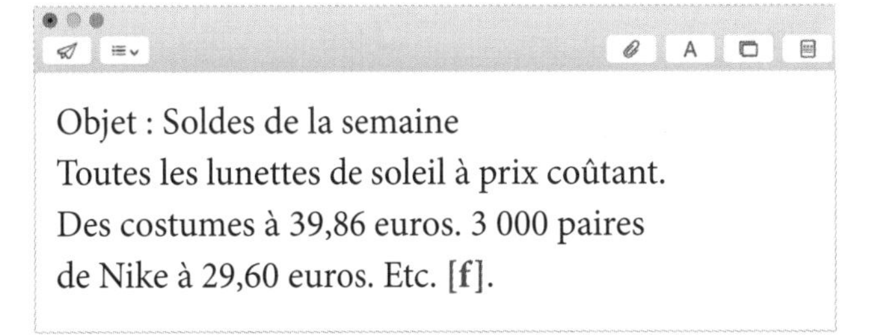

Objet : Soldes de la semaine
Toutes les lunettes de soleil à prix coûtant.
Des costumes à 39,86 euros. 3 000 paires de Nike à 29,60 euros. Etc. [**f**].

Faire le point

A Le point de langue

1. Il est bien payé, il ... beaucoup d'argent.

- ❑ fait
- ❑ perd
- ❑ produit
- ❑ gagne

2. J'ai reçu un ... de téléphone du président.

- ❑ appel
- ❑ envoi
- ❑ coup
- ❑ fil

3. Sarah cherche du travail, elle consulte les ... d'emploi.

- ❑ demandes
- ❑ offres
- ❑ modes
- ❑ recherches

4. Demain, elle passe un ... d'embauche.

- ❑ échange
- ❑ entretien
- ❑ interview
- ❑ questionnaire

5. Chez KM2, le client est ... ou remboursé.

- ❑ efficace
- ❑ motivé
- ❑ flexible
- ❑ satisfait

6. Maud a obtenu un ... de professeur à l'université de Louvain.

- ❑ métier
- ❑ salaire
- ❑ poste
- ❑ service

7. Merci d'envoyer un C.V. avec photo et lettre de ... à Cécile Bodin.

- ❑ démission
- ❑ motivation
- ❑ licenciement
- ❑ réclamation

8. Tu peux me passer un ... de pain ?

- ❑ bouquet
- ❑ morceau
- ❑ litre
- ❑ tas

9. Le fromage, je déteste ...

- ❑ ça
- ❑ la
- ❑ le
- ❑ les

10. Moi, je vais reprendre ... lapin, c'est délicieux.

- ❑ de
- ❑ un
- ❑ du
- ❑ le

11. Je vais ... chercher à l'aéroport.

- ❑ me
- ❑ les
- ❑ lui
- ❑ leur

12. M. Bic ? Je ... vois demain.

- ❑ le
- ❑ lui
- ❑ la
- ❑ leur

13. Je ... ai téléphoné hier.

- ❑ l'
- ❑ lui
- ❑ la
- ❑ les

14. Pouvez-vous lui dire de ... rappeler ?

- ❑ te
- ❑ se
- ❑ me
- ❑ vous

15. Et après tes études, qu'est-ce que tu ... faire ?

- ❑ vas
- ❑ es en train de
- ❑ seras
- ❑ viens de

16. Nous, on ... travailler en équipe.

- ❑ connaît
- ❑ sait
- ❑ connaissons
- ❑ savons

17. Je ne ... pas lire cette lettre, je n'ai pas mes lunettes.

- ❑ connais
- ❑ sais
- ❑ dois
- ❑ peux

18. Vous avez ... à quelle heure?

- ❑ mangé
- ❑ manger
- ❑ mangée
- ❑ mangés

B Le point de communication

1. Quelle est la question ? Complétez.

2. Vous trouvez cette annonce sur un site Internet.

SALON DE COIFFURE
recherche
coiffeuse qualifiée
Envoyer C.V. et lettre de motivation
à mariedupont@kirecrute.com

Répondez-y en complétant le mail suivant. Il y a plusieurs possibilités.

A: Marie Dupont
Objet :..

Madame,
Je me réfère à votre .... parue sur le site coif.com pour un poste de ....
Je vous .... ci-joint mon .... et une lettre demotivation.
Je me tiens à votre disposition pour un ....

Dans l'attente de votre ....,
je vous prie de recevoir, Madame,
mes meilleures ....

3. Nous sommes lundi. Vous déjeunez au *Petit Pêcheur*. Lisez le menu.

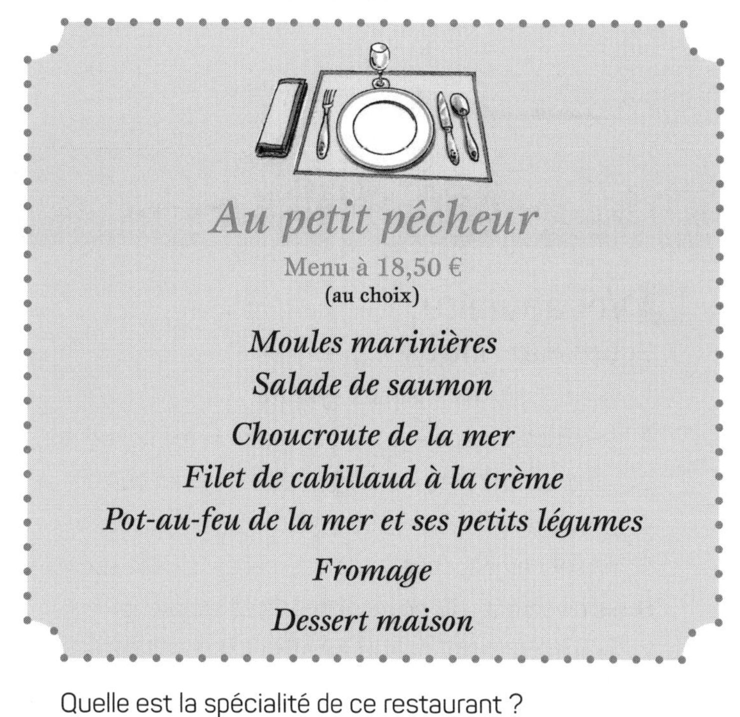

Quelle est la spécialité de ce restaurant ?

....

4. Le restaurant *Au petit pêcheur* propose également un menu à 14,50 euros.

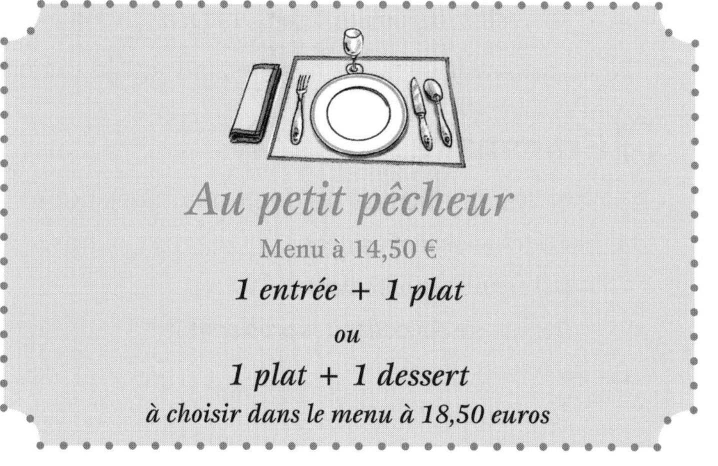

Dites si, avec ce menu à 14,50 euros, vous pouvez commander :

	Oui	Non
1. un fromage	❑	❑
2. une salade de saumon avec des moules	❑	❑
3. du cabillaud et un dessert	❑	❑
4. des moules et un dessert	❑	❑

unité 6

Problèmes

1. Traiter un problème relationnel

A Vocabulaire

1. Supprimez l'intrus.

1. je démissionne – je pars – ~~*j'entre*~~
2. je me préoccupe – je me tracasse – je me concentre
3. il est dans la lune – il est distrait – il est au bureau
4. je suis disponible – je suis prise – je suis occupée
5. elle est embauchée – elle est licenciée – elle est virée
6. ils divorcent – ils se marient – ils se séparent
7. je suis content – je suis satisfait – je suis déçu

2. 48 Entourez le mot qui convient. Puis écoutez pour vérifier.

1. Il y a un | échange | changement | change | dans le programme : on ne part plus.
2. Qui est-ce qui | remplace | envoie | perd | le directeur pendant son absence?
3. C'est une question difficile, je dois | réfléchir | trouver | rêver | un peu.
4. C'est un bon diplomate, il sait | trafiquer | vendre | négocier |.
5. Il y a du bruit, j'ai du | temps | retard | mal | à entendre.

B Grammaire

3. Posez les questions de deux manières sur le mot souligné.

1. Sarah connaît le président.
   – ***Qui connaît le président ?***
   – ***Qui est-ce qui connaît le président ?***
2. J'ai vu le directeur.
   – ***Tu as vu qui ?***
   – ***Qui est-ce que tu as vu ?***
3. Il écrit des poèmes.
   – ***Il écrit quoi ?***
   – ***Qu'est-ce qu'il écrit ?***
4. Paul Leduc habite ici.
   – .... ?
   – .... ?
5. Je peux faire ce travail.
   – .... ?
   – .... ?
6. Personne ne veut répondre.
   – .... ?
   – .... ?
7. Ils attendent le conférencier.
   – .... ?
   – .... ?
8. Je bois de l'eau gazeuse.
   – .... ?
   – .... ?
9. Ils ne font rien.
   – .... ?
   – .... ?
10. Il n'aime personne.
   – .... ?
   – .... ?

4. Mettez dans l'ordre.

1. n' / rien / Je / dit / ai / . → ***Je n'ai rien dit.***
2. rien / rien / a / n' / Il / vu, / entendu / . → ....
3. ne / jamais / personne / voit / Il / . → ....
4. ce / soir / est / Personne / n' / venu / → ....
5. à / a / Il / n' / personne / parlé / . → ....
6. y / n' / faire / à / a / Il / rien / . .... → ....

C Communication

5. (49) Trouvez la réponse. Puis écoutez pour vérifier.

1. ***Qu'est-ce qui vous arrive ?*** → ***d***
2. Qui est-ce qui vient à la réunion ? → ....
3. Qui est-ce que je dois appeler ? → ....
4. Qu'est-ce qui le motive dans la vie ? → ....
5. Qu'est-ce qu'on achète ? → ....
6. Qu'est-ce qui fait ce bruit ? → ....
7. Qui est-ce qu'ils ont embauché ? → ....
8. Qu'est-ce que tu lis ? → ....

a. L'argent, rien que l'argent.
b. Moi pas, ça ne m'intéresse pas.
c. C'est l'aspirateur du voisin.
d. ***Je suis tombé dans l'escalier.***
e. Ma lettre de licenciement.
f. Il n'y a pas beaucoup de choix.
g. Appelez M. Pelletier.
h. Un jeune sans expérience.

6. Complétez les bulles avec des questions et des réponses de l'exercice 5.

1

2

3

4

A Vocabulaire

1. Complétez les phrases avec les mots suivants. Puis écoutez pour vérifier.

absent avancé blessé dépêché ~~énervé~~ raté rendu reporté

1. Alors, j'ai perdu patience, je me suis ***énervé***.
2. Il est tombé dans l'escalier et il s'est .... au bras.
3. Nous avons .... la réunion à la semaine prochaine.
4. Ils ont .... le rendez-vous de 17 heures à 14 heures.
5. J'ai .... mon train, je vais arriver en retard.
6. Désolé, M. Pelletier est .... pour la journée.
7. Je me suis .... pour arriver à l'heure.
8. Je me suis .... chez vous à 19 heures précises.

2. Mettez dans l'ordre.

- ☐ **a.** J'ai enregistré mes bagages.
- ☐ **b.** Je me suis rendu à la porte d'embarquement.
- 1 **c.** Je suis arrivé à l'aéroport.
- ☐ **d.** J'ai embarqué.

3. Répondez négativement.

1. – Est-ce qu'elle conduit prudemment ?
   – Non, elle conduit ***dangereusement***.
2. – Est-ce qu'on a pris la bonne route ?
   – Non, on s'est ....
3. – Est-ce qu'ils ont eu leur train ?
   – Non, ils l'ont ....
4. – Est-ce que Paul est présent à la réunion ?
   – Non, il est ....
5. – Est-ce qu'elle arrive à l'heure ?
   – Non, elle est toujours ....
6. – Est-ce qu'ils ont confirmé le rendez-vous ?
   – Non, au contraire, ils l'ont ....

B Grammaire

4. Choisissez la bonne réponse.

1. Paul s'est | disputé | disputée | disputés | disputées | avec son patron.
2. Caroline ne s'est pas | habitué | habituée | habitués | habituées | à la vie parisienne.
3. Ils se sont | réuni | réunie | réunis | réunies | pendant trois heures.
4. Alors, les filles, vous vous êtes bien | amusé | amusée | amusés | amusées | hier soir ?

5. Transformez à la forme négative.

1. On s'est ennuyé. → ***On ne s'est pas ennuyé.***
2. Je me suis promené. → ....
3. Nous nous sommes perdus. → ....
4. Tu t'es reposée un peu ? → ....

6. Mettez dans l'ordre.

1. à / se / Ils / sont / Paris / rencontrés / ne / pas / .
   → ***Ils ne se sont pas rencontrés à Paris.***
2. du matin / à 11 heures / levé / Je / suis / me / .
   → ....
3. s' / arrêté / minute / On / est / ne / pas / une / .
   → ....
4. de / trompé / Excusez-moi, / je / numéro / me / suis / .
   → ....

7. Écrivez les verbes au passé composé.

1. Quelqu'un (*oublier*) ***a oublié*** son portable dans le magasin.
2. La réunion (*se terminer*) .... avec une heure de retard.
3. Tu (*lire*) .... le journal aujourd'hui ?
4. Désolé, je (*ne pas comprendre*) .... ton raisonnement.
5. Ils (*se disputer*) ...., mais ils (*rester*) .... ensemble.
6. Il (*se tromper*) ...., il (*prendre*) .... le mauvais train.
7. Tu as l'air fatigué, Claire, tu (*se coucher*) .... à quelle heure ?
8. Voyons, messieurs, pourquoi est-ce que vous (*se chamailler*) .... ?

C Communication

8. (51) Cochez la réponse qui convient. Puis écoutez pour vérifier.

1. Vous êtes en retard.
   - ❑ Excusez-moi, je suis pris.
   - ❑ Excusez-moi, j'ai eu un empêchement.
2. On peut se voir jeudi ?
   - ❑ Désolé, je suis en déplacement.
   - ❑ D'accord, je me prépare et j'arrive.
3. Vous êtes disponible le matin ?
   - ❑ Pas avant 11 heures.
   - ❑ Je préfère avancer l'heure.
4. Je dois reporter le rendez-vous.
   - ❑ On s'est vu hier, je crois.
   - ❑ Ce n'est pas grave.
5. Vous vous êtes perdus ?
   - ❑ Non, on s'est trompés de route.
   - ❑ Oui, on s'est trompés de route.
6. Quel est le problème ?
   - ❑ Heureusement, il est disponible.
   - ❑ Il ne peut pas déplacer le rendez-vous.
7. Je voudrais organiser une réunion.
   - ❑ Je ne crois pas.
   - ❑ Le matin ou l'après-midi ?
8. Qu'est-ce qui s'est passé ?
   - ❑ Je suis tombé sur un embouteillage.
   - ❑ Je suis en déplacement toute la journée.

9. Écrivez les questions possibles.

1. – .... ?
   – Non, vous vous êtes trompé de numéro.
2. – .... ?
   – Je préférerais le matin.
3. – .... ?
   – Non, j'ai oublié mon porte-monnaie.
4. – .... ?
   – Non, ce n'est pas grave.
5. – .... ?
   – Désolé, je suis prise.
6. – .... ?
   – Simon vient, mais Paul ne peut pas.

A Vocabulaire

1. Connaissez-vous les raccourcis clavier ? Complétez les mots.

1. S _ L _ C _ I _ N _ E R TOUT — Ctrl + A
2. E _ R _ _ I _ _ _ E R — Ctrl + S
3. C _ U _ E R — Ctrl + X
4. C _ P _ E R — Ctrl + C
5. C _ L _ E R — Ctrl + V

2. Mettez dans l'ordre.

❑ **a.** J'ouvre un fichier Word.
❑ **b.** J'éteins mon ordinateur.
1 **c.** J'allume mon ordinateur.
❑ **d.** J'enregistre le document.
❑ **e.** Je ferme le document.
❑ **f.** Je tape mon texte.

3. Entourez le mot qui convient.

1. Il faut mettre du papier dans l' imprimante | écran .
2. Je ne peux plus me joindre | connecter à Internet.
3. La société Fimex a créé un blog | site Internet.
4. Je consulte ma messagerie | batterie tous les jours.
5. La touche étoile (*) se trouve à gauche du clavier | disque dur .
6. Quand tu télécharges d'Internet, fais attention aux antivirus | virus !
7. Pour enregistrer, tu peux appuyer | cliquer sur la touche F12.

B Grammaire

4. 52 Répondez négativement. Utilisez *ne... plus* ou *ne ... pas encore*. Puis écoutez pour vérifier.

1. – Tu as déjà terminé ?
   – Non, je n'***ai pas encore terminé***.
2. – Cette imprimante fonctionne encore ?
   – Non, elle ....
3. – Est-ce que Lise a répondu à ton mail ?
   – Non, elle ....
4. – Est-ce qu'elle t'écrit encore ?
   – Non, elle ....
5. – Est-ce que ce jeu est déjà disponible ?
   – Non, il ....
6. – Tu peux ouvrir ce fichier, s'il te plaît ?
   – Malheureusement, je ....

5. Complétez ces phrases librement.

1. Si ..., est-ce que je peux imprimer chez toi ?
2. C'est bizarre, quand je fais « copier-coller », ...
3. Si elle ne répond pas au téléphone, ...
4. Si ..., cherche dans le dictionnaire.
5. Si tu passes devant un magasin informatique, ...
6. Je ne comprends pas, quand ..., l'ordinateur s'éteint.
7. ... si j'oublie le mot de passe ?
8. Si tu n'arrives pas à te connecter, ...
9. Si ..., tu peux m'envoyer un mail.

C Communication

6. 53 Cochez les deux réponses possibles. Puis écoutez pour vérifier.

1. C'est quoi, le problème?
   - ☒ ***C'est le son, on n'entend rien.***
   - ❑ Non, il n'y a pas de virus.
   - ❑ Je peux entrer le mot de passe.
   - ☒ ***Je n'arrive plus à me connecter.***
2. Tu as pris ton portable ?
   - ❑ Non, j'ai oublié.
   - ❑ Non, je l'ai laissé au bureau.
   - ❑ Non, j'ai acheté un clavier.
   - ❑ Non, je veux supprimer des fichiers.
3. Tu connais le mot de passe ?
   - ❑ Non, je n'ai pas d'antivirus.
   - ❑ Non, ça va, merci.
   - ❑ Non, il faut demander à Pierre.
   - ❑ Non, je ne sais plus.
4. Tu as reçu mon message ?
   - ❑ Non, tu l'as envoyé quand ?
   - ❑ Non, mes favoris n'apparaissent pas.
   - ❑ Oui, j'ai appelé la hot-line.
   - ❑ Je n'ai pas encore regardé mes mails.
5. Vous pouvez me passer votre e-mail ?
   - ❑ Vous avez de quoi noter ?
   - ❑ J'ai installé un nouveau programme.
   - ❑ Je vous envoie un mail.
   - ❑ Entrez votre adresse e-mail.
6. Où est le fichier *Cerise* ?
   - ❑ Dans le dossier *Clients*.
   - ❑ Sur la touche ALT.
   - ❑ Dans l'imprimante.
   - ❑ Sur le bureau.
7. Tu te rappelles le nom du fichier ?
   - ❑ Je ne sais plus.
   - ❑ J'ai oublié de fermer la fenêtre.
   - ❑ C'est la touche F5.
   - ❑ C'est *Cerise*, je crois.
8. Je fais comment pour imprimer ?
   - ❑ Désolé, je n'ai pas d'imprimante.
   - ❑ Tu cliques sur « OK ».
   - ❑ Non, on m'a piraté mon mot de passe.
   - ❑ Éteins l'imprimante !
9. Qu'est-ce que tu télécharges ?
   - ❑ Une mise à jour.
   - ❑ Un virus.
   - ❑ Un antivirus.
   - ❑ Une souris.
10. Tu as éteint l'ordinateur ?
    - ❑ Il n'y a plus de batterie.
    - ❑ Non, pas encore.
    - ❑ Je viens de l'acheter.
    - ❑ Oui, mais il redémarre tout seul.

A Vocabulaire

1. Supprimez l'intrus.

1. une marche – ~~un fauteuil~~ – un escabeau
2. un livre – une vis – un tournevis
3. une lampe – une ampoule – une clé
4. un clou – un marteau – un chiffon
5. une clé – une serrure – une affiche
6. un stylo – un papier – un verre

2. 54 Complétez les mots. Puis écoutez pour vérifier.

1. J'ai mis les clés dans le T R _ _ _ I du haut.
2. Gilles est très grand, il peut toucher le P L _ _ _ _ D.
3. Il n'y a plus de lumière, l'A M _ _ _ _ E est grillée.
4. S'il te plaît, prends un C H _ _ _ _ N et nettoie les étagères.
5. Ce n'est pas la bonne clé, elle n'entre pas dans la S E _ _ _ R E.
6. Je suis monté sur un É S _ _ _ _ E A U pour atteindre le haut du placard.
7. Il a vissé toutes les vis avec son petit T _ _ _ _ V I S
8. Est-ce que tu as fermé le R O _ _ _ E T du gaz ?
9. Où est-ce que tu ranges les outils ? - Dans la B _ _ _ E à outils.
10. Elle donne des coups de M _ _ _ E A U sur un clou.
11. Roger travaille bien, c'est un bon O _ _ _ _ I E R.
12. Dans la salle de bains, il y a des F I _ _ électriques partout, c'est dangereux.
13. Tu me passes les outils ? Je voudrais R É _ _ _ E R le vélo.
14. Ne T I _ _ S pas le couteau comme ça, tu vas te blesser.

3. Complétez les phrases avec les mots suivants.

faites attention détendez-vous réveillez-vous dépêchez-vous ne vous découragez pas

1. Vous dormez, allez, ... !
2. C'est dangereux, ... !
3. Vous êtes tendu, ... !
4. Mais si, vous allez réussir, ... !
5. On est en retard, ... !

B Grammaire

4. Complétez le tableau.

Infinitif	tu	nous	vous
se reposer	*Repose-toi !*	*Reposons-nous !*	*Reposez-vous !*
s'habiller	....	....	....
se dépêcher	....	....	....
s'asseoir	....	....	....
se lever	....	....	....

5. Mettez dans l'ordre.

1. bonjour / lui / de ma part / Dites- / . → ***Dites-lui bonjour de ma part.***
2. vous / éloignez / Ne / pas / ! → ....
3. devant / moi / Attendez- / chez moi / ! → ....
4. après minuit / m' / pas / appelez / Ne / ! → ....

6. Transformez à l'impératif.

1. Vous lui envoyez un mail. → ***Envoyez-lui un mail !***
2. Tu te tais, s'il te plaît. → ....
3. Vous le rangez dans le tiroir. → ....
4. On se repose un peu. → ....

7. Mettez à la forme négative.

1. Disons-lui la vérité, mais ***ne lui disons pas*** toute la vérité !
2. Invite-la, mais .... pendant le week-end !
3. Arrêtez-vous, mais .... ici !
4. Assieds-toi, mais .... sur cette chaise !

C Communication

8. (55) Mettez dans l'ordre. Puis écoutez pour vérifier.

Dialogue 1

❑ **a.** Je n'arrive pas à l'ouvrir.
[1] **b.** Tu as vu les clés ?
❑ **c.** Tire très fort.
❑ **d.** Elles sont dans le tiroir.

Dialogue 2

❑ **a.** Je veux bien.
❑ **b.** Qu'est-ce que je peux faire ?
❑ **c.** Tu veux un coup de main ?
❑ **d.** Tu peux soulever la table ?

Dialogue 3

❑ **a.** Mais elle est propre, cette table.
❑ **b.** Pour nettoyer la table.
❑ **c.** Tu as un chiffon ?
❑ **d.** Pour quoi faire ?

Dialogue 4

❑ **a.** La porte est fermée à clé.
❑ **b.** Sur la table
❑ **c.** Où ça ?
❑ **d.** La clé est sur la table.

9. Regardez le dessin ci-contre. Qu'est-ce que vous dites à Roger ? Choisissez une des phrases suivantes.

1. N'ouvre pas le robinet.
2. Ne coupe pas le fil.
3. Tire-le très fort.
4. Ne te décourage pas.
5. Regarde devant toi.
6. Passe-moi les ciseaux.
7. Fais attention à la marche.

A Vocabulaire

1. (56) Complétez les phrases avec les noms de métiers suivants. Puis écoutez pour vérifier.

agent immobilier mécanicien guide médecin coiffeur électricien plombier menuisier dentiste peintre

1. Tu tousses, tu devrais voir un ....
2. J'ai mal aux dents, j'ai pris rendez-vous chez le ....
3. Pour vendre son appartement, il s'est adressé à un ....
4. Tu as les cheveux trop longs, tu devrais aller chez le ....
5. Il y a une fuite d'eau dans la salle de bains, il faut appeler un ....
6. Pour traverser ces montagnes, un conseil, prends un bon ....
7. Il faut remplacer les fenêtres, on a besoin d'un ....
8. La prise de courant ne marche plus, il faut appeler un ....
9. Il est temps de refaire la peinture du bureau, tu connais un .... ?
10. Ma voiture ne marche pas bien, je vais l'amener chez le ....

2. Cochez ce qui fait problème.

1. ☐ Nora aime son travail.
2. ☒ Elle ne comprend pas le mode d'emploi.
3. ☐ Elle n'a pas assez d'argent sur elle.
4. ☐ Le chauffage ne marche pas.
5. ☐ Son compte en banque est dans le rouge.
6. ☐ Elle a mal au dos.
7. ☐ Elle habite un quartier très agréable.
8. ☐ Elle conduit trop vite.
9. ☐ Son café est froid.
10. ☐ Il n'y a pas d'erreur dans la facture.
11. ☐ Elle s'entend bien avec ses collègues.
12. ☐ Son mari est en bonne santé.
13. ☐ Elle ne supporte plus son mari.
14. ☐ Les toilettes sont sales.
15. ☐ Il y a encore de la place sur ce vol.
16. ☐ C'est un excellent restaurant.
17. ☐ Il manque des chaises.
18. ☐ Nora parle cinq langues.
19. ☐ Elle a trouvé un bon travail.
20. ☐ Elle va arriver en retard.
21. ☐ Elle ne peut pas ouvrir sa porte.
22. ☐ Elle a trouvé la solution.
23. ☐ Cet hôtel est bien situé.
24. ☐ L'ascenseur ne marche pas.
25. ☐ Tout va bien.
26. ☐ Je ne sais pas quoi faire.

B Grammaire

3. Complétez avec le verbe *devoir* au conditionnel présent.

1. Tu es en retard, tu ***devrais*** prendre un taxi.
2. Il est tard, on .... partir.
3. C'est une offre intéressante, ils .... accepter.
4. Il fait beau, vous .... vous promener un peu.
5. Je suis fatigué, je .... me reposer un peu.
6. Il est tard, nous .... rentrer à la maison.

4. Mettez dans l'ordre.

1. fait / Il / ici / trop / chaud / .
   → ***Il fait trop chaud ici.***
2. assez / pas / n'est / cuit / steak / Ce / .
   → ....
3. n'ai / sucre / de / dans mon café / assez / Je / pas / .
   → ....
4. trop / Cette / élevée / facture / est / .
   → ....
5. Il y a / ce magasin / monde / de / trop / dans / .
   → ....
6. trop / n'as / Est-ce que / tu / pas / bu / ?
   → ....

C Communication

5. Complétez les phrases avec un problème de l'exercice 2, page 72.

1. ***Le chauffage ne marche pas***, elle devrait appeler un chauffagiste.
2. ...., elle devrait les nettoyer.
3. ...., elle devrait ralentir un peu.
4. ...., elle ne devrait pas utiliser sa carte de crédit.
5. ...., elle devrait prendre l'escalier.
6. ...., elle devrait passer par la fenêtre.
7. ...., elle devrait divorcer.
8. ...., elle devrait se dépêcher.

6. Qu'est-ce qu'ils devraient faire? Suggérez une solution.

1. Linda se couche tard, elle est toujours fatiguée.
   → ***Elle devrait se coucher tôt.***
2. Noémie ne s'entend pas avec son directeur, elle déteste son travail.
   → ....
3. Pierre habite une grande ville, mais il voudrait vivre à la campagne.
   → ....
4. John va travailler à Paris, mais il ne parle pas un mot de français.
   → ....
5. La fenêtre est ouverte, Caroline sent un courant d'air dans le dos.
   → ....
6. Mona tousse parce qu'elle fume trop.
   → ....
7. Son appareil photo est trop gros, il ne rentre pas dans sa poche.
   → ....
8. Catherine est tombée en panne d'essence sur l'autoroute.
   → ....

A Le point de langue

1. Il est tard. ... la lumière, on va dormir.

- ❑ Allume
- ❑ Pousse
- ❑ Éteins
- ❑ Tire

2. M. Mercier est parti, il a ... sa démission.

- ❑ donné
- ❑ mis
- ❑ fait
- ❑ posé

3. Pierre Bosse ... M. Mercier.

- ❑ bouge
- ❑ remplace
- ❑ pose
- ❑ transporte

4. – Il est sympa, le directeur ?
– Ça dépend ... jours.

- ❑ ces
- ❑ des
- ❑ les
- ❑ ses

5. Ton bureau est sale, tu devrais le ...

- ❑ jeter
- ❑ casser
- ❑ nettoyer
- ❑ détruire

6. J'ai plein de travail en ce moment, je suis très ...

- ❑ libre
- ❑ intelligent
- ❑ disponible
- ❑ pris

7. Laisse ..., ce n'est pas important.

- ❑ aller
- ❑ rester
- ❑ partir
- ❑ tomber

8. Il n'y a plus de train, les conducteurs sont en ...

- ❑ danger
- ❑ grève
- ❑ retard
- ❑ vacances

9. Dis-moi, qu'est-ce qui ne ... pas ?

- ❑ va
- ❑ vais
- ❑ vont
- ❑ vas

10. Tu fais ... de spécial ce week-end ?

- ❑ quelqu'un
- ❑ personne
- ❑ quelque chose
- ❑ rien

11. Il est méfiant, il n'a confiance en ...

- ❑ quelqu'un
- ❑ personne
- ❑ quelque chose
- ❑ rien

12. Alors, ... vient à la réunion demain ?

- ❑ qui est-ce que
- ❑ qu'est-ce que
- ❑ qui est-ce qui
- ❑ qu'est-ce qui

13. Excusez-moi, ... trompé de numéro.

- ❑ j'ai
- ❑ je me suis
- ❑ je suis
- ❑ je t'ai

14. Ne ... dérangez pas, je travaille.

- ❑ me
- ❑ te
- ❑ lui
- ❑ leur

15. Je ne peux pas faire cet exercice, c'est ... difficile.

- ❑ pas assez
- ❑ trop de
- ❑ assez
- ❑ trop

16. – Tu devrais relire ton rapport.
– Il est trop tard, je n'ai ... le temps.

- ❑ rien
- ❑ encore
- ❑ plus
- ❑ pas encore

17. C'est haut, vous ... faire attention.

- ❑ devenez
- ❑ devinez
- ❑ devriez
- ❑ dévorez

18. – Je devrais écrire à Paul.
– Eh bien, ...

- ❑ l'écris
- ❑ écris-le
- ❑ lui écris
- ❑ écris-lui

B Le point de communication

1. Vous partagez un bureau avec un collègue. La fenêtre est ouverte. Il n'y a pas de chauffage. C'est l'hiver. Vous avez froid. Qu'est-ce que vous dites à votre collègue ? Faites deux suggestions.

....

....

....

....

2. Vous êtes dans un magasin. Vous voulez payer quelque chose, mais vous n'avez pas assez d'argent dans votre portefeuille. Qu'est-ce que vous dites au vendeur ? Faites une suggestion.

....

....

....

....

3. Demain, vous avez un rendez-vous chez le dentiste à 9 heures. Votre chef de bureau n'est pas au courant. Qu'est-ce vous lui dites ?

....

....

....

....

4. Vous êtes en retard à la réunion de 9 heures. Expliquez pourquoi.

....

....

....

....

5. L'ordinateur de votre collègue est de nouveau en panne. Donnez-lui un conseil.

....

....

....

....

6. Dans les SMS envoyés sur un téléphone portable, les jeunes utilisent parfois des abréviations.
Exemple : bjr = bonjour

Lisez le message ci-dessous et récrivez-le complètement. Remplacez les abréviations par les mots ou les groupes de mots ci-dessous. Ajoutez la ponctuation.

j'ai un problème — *je suis désespérée* — *c'est l'enfer sans toi* — *maintenant* — *impossible* — *je t'appelle dès que je peux* — *je t'ai acheté un super cadeau* — *au bureau* — *je t'aime* — *je dois rester bosser*

mon chéri 1posib
de venir mnt G 1
pb au burO j ds
resT boC chuis
DzSPré C l'enfR
100 toi
j T HT 1
super Kdo
j'tapL Dke j'pe jtem
sarah

Mon chéri,

....

....

....

....

....

....

....

....

....

....

....

unité 7

Tranches de vie

1. Se rappeler ses petits boulots

A Vocabulaire

1. (57) Complétez les phrases avec les mots suivants. Puis écoutez pour vérifier.

animatrice baby-sitter serveuse standardiste vendeuse

Nous avions chacune un petit boulot.

1. Julie répondait au téléphone, elle était ....
2. Émilie travaillait comme .... dans un magasin de vêtements.
3. Jacqueline était ...., elle gardait un enfant tous les soirs.
4. Catherine était .... dans un centre de vacances pour enfants.
5. Moi, j'étais .... dans un restaurant, j'étais payée au pourboire.

2. Supprimez l'intrus.

1. un guichet – une banque – un lit
2. un repas – un boulot – un travail
3. une prime – un stage – un pourboire
4. un étudiant – une étudiante – une boutique
5. un employé – un patron – un fauteuil
6. un échec – un succès – une réussite
7. insonorisé – autoritaire – coléreux
8. insulter – rigoler – sourire

3. (58) Complétez les phrases avec des mots de l'exercice 2. Puis écoutez pour vérifier.

1. S'il vous plaît, faites la queue au .... pour acheter vos billets.
2. Ce bureau est mal ...., on entend tout ce que disent les voisins.
3. Les .... du master doivent faire un .... en entreprise.
4. Elle est vendeuse dans une .... hors taxe de l'aéroport.
5. Chez Fimex, tous les ouvriers ont reçu une .... de fin d'année.
6. Asseyez-vous dans ce ...., vous serez plus à l'aise.
7. Il ne gagne pas beaucoup, c'est un simple .... de bureau.
8. Il prend ses .... dans le restaurant de l'entreprise.

B Grammaire

4. Complétez le tableau.

Infinitif	Présent	Imparfait
réussir	nous ***réussissons***	il ***réussissait***
hésiter	nous	nous ....
comprendre	nous	vous ....
recevoir	nous	je ....
lire	nous	elles ....

5. Complétez les phrases comme dans l'exemple.

1. Maintenant, il ne fume plus. Avant, il ***fumait*** beaucoup.
2. Maintenant, tu ne lis presque plus. Avant, tu .... beaucoup.
3. Maintenant, nous habitons à Lyon. Avant, nous .... à Paris.
4. Maintenant, ils vont au théâtre. Avant, ils .... au cinéma.
5. Maintenant, on écrit des e-mails. Avant, on .... des lettres.
6. Maintenant, il ne boit plus. Avant, il .... du matin au soir.
7. Maintenant, elle joue de la flûte. Avant, elle .... du piano.
8. Aujourd'hui, elle est en forme. Hier, elle .... malade.
9. Aujourd'hui, il veut chercher un travail. Hier, il .... faire des études.
10. Vous prenez vos vacances en juillet. Avant, vous les .... en août.

6. Complétez avec *chaque*, *chacun* ou chacune.

1. Ces cartes postales coûtent 1 euro ....
2. Il travaille .... jour, de 5 heures à 10 heures du matin.
3. .... de nos vendeurs dispose d'une voiture de fonction.
4. Elle porte un verre dans .... main.
5. Mesdames et messieurs, bienvenue à .... et à .... d'entre vous.

C Communication

7. 59 Voici deux témoignages. Mettez les phrases dans l'ordre. Puis écoutez pour vérifier.

Le marchand de pop-corn

- ❏ **a.** Il vendait des hamburgers, des hot-dogs, des frites et du pop-corn.
- 1 **b.** J'avais 9 ans. Je travaillais dans une foire.
- ❏ **c.** Je m'occupais de la machine à pop-corn.
- ❏ **d.** Mon patron s'appelait Lucien Lavergne.

Le vendeur de journaux

- ❏ **a.** En même temps ils m'achetaient un journal. Quelquefois, je recevais un gros pourboire.
- ❏ **b.** Ils sortaient de l'église, ils bavardaient.
- ❏ **c.** J'avais 12 ans. Chaque dimanche matin, je vendais des journaux à la porte de l'église.
- ❏ **d.** Mes clients étaient surtout des hommes.

A Vocabulaire

1. Associez.

1. ***Il était très fâché,*** → ***e***
2. Il avait des dettes, → ....
3. Il était au chômage, → ....
4. Il avait chaud, → ....
5. Il a de la chance, → ....
6. Il était intelligent, → ....
7. C'était un hôtel de luxe, → ....
8. C'était un vieux frigo, → ....

a. il a enlevé son pull.
b. il devait 10 000 euros.
c. il a gagné 10 000 euros au loto.
d. il avait toujours plein d'idées.
e. ***il a piqué une colère.***
f. il avait quatre étoiles.
g. il a fini par tomber en panne.
h. il cherchait du travail.

2. 60 Complétez les phrases avec les mots suivants. Puis écoutez pour vérifier.

accident explosion intoxication feu panne vol

Une semaine de faits divers

1. Lundi, les enfants d'une cantine scolaire étaient victimes d'une .... alimentaire.
2. Mardi, une voiture ne s'est pas arrêtée au .... rouge, elle a heurté un groupe de cyclistes.
3. Jeudi, il y a eu une .... de gaz dans une usine.
4. Vendredi, c'était un .... à main armée dans une bijouterie.
5. Samedi, il y a eu une .... d'électricité, toute la ville était dans le noir.
6. Dimanche, il y a eu un .... de train à l'intérieur de la gare.

3. 61 Entourez le bon verbe. Puis écoutez pour vérifier.

1. Elle a | lu | rangé | jeté | un tas de vieux journaux à la poubelle.
2. L'usine a fermé, tous les ouvriers ont | cherché | perdu | trouvé | leur emploi.
3. Tu peux me prêter 50 euros ? Je te | dépense | rembourse | règle | demain.
4. Dans cette entreprise, Camille | a besoin | se rappelle | s'occupe | de la comptabilité.
5. Je suis | passé | tombé | devenu | chez toi hier soir, mais il n'y avait personne.
6. J'ai | cassé | réparé | promené | mon vélo, maintenant il marche.

4. Complétez avec des verbes de l'exercice 3.

1. – Qu'est-ce que tu as fait du journal d'aujourd'hui ?
   – Je l'ai .... dans le tiroir.
2. – Est-ce que Sarah a trouvé un travail ?
   – Non, pas encore, elle continue à ....
3. – Tu as 50 euros sur toi ?
   – Je les avais, mais je les ai ....
4. – Tu viens à quelle heure demain ?
   – Je peux .... vers 10 heures.

B Grammaire

5. (62) **Associez chaque événement à la situation. Puis écoutez pour vérifier.**

Événements		Situations
1. ***Il a dormi au bureau.***	→ *b*	a. Il était incompétent.
2. L'entreprise l'a licencié.	→	b. ***Il était très fatigué.***
3. Il est arrivé en retard	→	c. Il était amoureux.
4. Il a déménagé en province.	→	d. Il ne supportait plus Paris.
5. Il s'est marié	→	e. Il y avait des embouteillages.

6. Complétez les phrases avec des verbes au passé (passé composé ou imparfait).

1. Hier, Paul .... toute la journée, il .... bien fatigué.
2. Hier, j(e) .... à la maison parce que j(e) .... malade.
3. On .... un sandwich parce qu'on .... faim.
4. Ce matin, elle .... son parapluie parce qu'il ....
5. Mme Dulac .... quand vous .... en réunion.
6. Hier soir, j(e) .... tôt parce que j(e) .... mal à la tête.

C Communication

7. (63) ***Le Journal du Québec*** **a publié l'article suivant. Lisez-le ou écoutez. Puis dites à quel endroit de l'article vous placez la phrase suivante.**

Son collègue a eu peur, il a fait un pas en arrière, et il est tombé.

Montréal

Deux blessés légers dans un accident de travail

Un accident de travail a fait deux blessés légers, samedi matin, à Montréal. L'événement est survenu vers 11 heures du matin, dans la rue de l'Hôtel-de-Ville.

Deux ouvriers travaillaient à l'extérieur d'un immeuble de trois étages. Quand l'accident est arrivé, tous les deux se trouvaient sur un échafaudage, au niveau du dernier étage. Il faisait beau, mais il y avait du vent.

Une tuile est tombée du toit de l'immeuble sur la tête d'un des ouvriers. « *J'ai eu très mal et j'ai crié très fort* », a expliqué l'homme, encore sous le choc.

Tous deux, légèrement blessés, ont arrêté le travail et sont allés à l'hôpital en taxi. Ils ont passé des radios. Il n'y avait rien de grave et ils ont pu rentrer chez eux dans la soirée. La commission de Sécurité du travail a ouvert une enquête.

A Vocabulaire

1. Mettez dans l'ordre chronologique.

M. Perrin a fait carrière chez Fimex.

❑ **a.** Il a été embauché comme ingénieur.

❑ **b.** Il a répondu à une offre d'emploi.

❑ **c.** Il a été nommé directeur général de l'entreprise.

1 **d.** Il a fait des études brillantes.

❑ **e.** Il a pris sa retraite.

❑ **f.** Il a pris la direction d'une usine de l'entreprise.

2. 64 Complétez. Puis écoutez pour vérifier.

1. Elle est responsable du se.................................... recherche et dé ....

2. Dans cette usine on fab.. des meubles en métal.

3. Avant, il était l'adj.................................... du directeur. Maintenant, c'est lui le directeur.

4. Mme Campana a pr .... sa r.................................... à l'âge de 63 ans.

5. Elle avait une bonne opinion d'elle-même, elle était un peu pré....................................

6. Mme Campana travaillait directement sous la di.................................... du président.

3. Complétez les phrases avec *fait, passé, pris.*

1. Cette année, j'ai ***pris*** mes vacances en septembre.

2. M. Billard a .... un voyage d'affaires au Mexique.

3. Le directeur a .... la décision de reporter la réunion.

4. Florian cherche un travail, il a .... plusieurs entretiens d'embauche.

5. Les ouvriers ont .... la grève pour obtenir de meilleurs salaires.

6. Son fils a .... ses examens avec succès.

7. Frédéric Lemarc a .... la direction marketing du groupe Aoste.

B Grammaire

4. Soulignez les mots que le pronom relatif (*qui, que, où*) remplace.

1. Ici, c'est ***le directeur*** qui décide.

2. Pour sa retraite, il est parti dans un pays où il fait chaud.

3. Je connais quelqu'un qui travaille quinze heures par jour, y compris les week-ends.

4. Regarde, c'est l'immeuble où je travaille.

5. J'ai oublié le nom de la personne que je dois rencontrer.

6. L'usine où ils travaillent est très bruyante.

7. Les photos que je regarde me rappellent de bons souvenirs.

8. Excusez-moi, il y a une chose que je voudrais dire.

5. Complétez avec *qui, que* ou *qu'*.

Dans l'usine de Fimex, à Montreuil, il y a :

1. un directeur ***qui*** s'appelle M. Perrin;
2. l'adjoint du directeur .... a seulement 30 ans ;
3. des ouvriers .... sont là depuis 30 ans ;
4. des ingénieurs .... on voit rarement dans les ateliers ;
5. des étudiants .... font un stage de quelques mois ;
6. un comptable .... M. Perrin vient d'embaucher ;
7. un gros chien .... garde l'entrée de l'usine ;
8. le gardien .... M. Perrin veut licencier.

6. (65) Trouvez la réponse à chaque question. Puis écoutez pour vérifier.

1. ***La famille Lemoine habite à Montreuil depuis quand ?*** → *d*
2. M. Lemoine a travaillé longtemps dans cette entreprise ? → ....
3. Mme Lemoine travaille dans cette entreprise ? → ....
4. Leur fils est encore là ? → ....
5. Et vous, vous êtes nouveau, n'est-ce pas ? → ....
6. Vous avez fait cet exercice en combien de temps ? → ....

a. En une minute.
b. Oui, depuis dix ans.
c. Oui, pendant dix ans
d. ***Depuis dix ans.***
e. Oui, je suis arrivé il y a trois jours.
f. Non, il est parti pour deux ou trois ans.

C Communication

7. (66) Reconstituez le discours de M. Delarue, directeur général de la société PSX, avec les mots suivants. Puis écoutez pour vérifier.

40 personnes — *il y a cinq ans* — *le fruit de votre travail* — ~~*messieurs*~~ — *a quasiment doublé* — *il n'y pas eu un seul jour de grève* — *vous remercier* — *la moitié de notre production*

Mesdames, ***messieurs,***

J'ai pris la direction de PSX ....

....

Depuis mon arrivée, ...

....

Nous avons embauché ....

....

La production ....

....

Nous exportons aujourd'hui ....

....

Je voudrais tous ....

....

Ces résultats sont ....

....

A Vocabulaire

1. Associez.

1. ***Il est très fatigué.*** → *c*
2. Il est tombé. → ....
3. Il a perdu patience. → ....
4. Les affaires vont mal. → ....
5. Il fait une chaleur étouffante. → ....

a. On est au bord de la faillite.
b. Il a piqué une crise.
c. ***Il a envie de dormir.***
d. On a du mal à respirer.
e. Il s'est cassé la cheville.

2. 67 Entourez la bonne réponse. Puis écoutez pour vérifier.

1. Les syndicats veulent | empêcher | supprimer | réclamer | le patron de licencier.
2. Le président veut | faire | prendre | tenir | sa décision tout seul.
3. Dans ce pays, les | délais | projets | impôts | sur le revenu sont très élevés.
4. Où étiez-vous ? Je vous ai cherché | partout | du tout | pour tout |.
5. Mais non, je ne mens pas, je vous | vérifie | assure | crois |.
6. Je ne suis pas sourde, ce n'est pas la peine de | raconter | pleurer | crier |.

3. Les situations suivantes sont-elles des situations de stress ?

	Oui	Non
1. Vous avez reçu une lettre de licenciement.	❏	❏
2. Les clients sont contents.	❏	❏
3. Les affaires marchent bien.	❏	❏
4. Votre assistante est malade.	❏	❏
5. Les enfants vous empêchent de travailler.	❏	❏

B Grammaire

4. De quoi s'agit-il ? Associez.

1. ***Prends-en un, il va pleuvoir.*** → *c*
2. Il en lit un par semaine. → ......
3. Elle en boit un à chaque repas. → ......
4. Vous en mangez un ? → ......
5. Ils en louent un près d'ici. → ......

a. un appartement
b. un biscuit
c. ***un parapluie***
d. un verre de vin
e. un roman policier

5. Mettez dans l'ordre.

1. De l'argent ? Il / en / pas / n' / beaucoup / gagne / → Il ***n'en gagne pas beaucoup.***
2. Un ordinateur ? Je / d' / un / acheter / viens / en / → Je ....
3. Du café ? Elle / boit / le matin / tasse / une / en / . → Elle ....
4. Des poires ? Tu / kilo / en / un / acheter / peux / ? → Tu ....
5. Des places ? Ils / ont / en / réservé / deux / . → Ils ....

6. Répondez aux questions, en utilisant *le, la, l', les* ou *en*.

1. Vous avez une voiture ? – ...
2. Vous connaissez des Français ? – ...
3. Vous connaissez Mme Zimmerman ? – ...
4. Vous buvez du thé au petit-déjeuner ? – ...
5. Vous aimez cette ville où vous habitez ? – ...
6. Vous avez lu le journal aujourd'hui ? – ...
7. Vous avez beaucoup d'amis ? – ...
8. Vous voyez souvent vos amis ? – ...

7. Complétez ces phrases librement.

1. Je trouve que le nouveau directeur ... .
2. Je pense qu'il n' ... encore ... .
3. Je crois qu'il ... Mme Bosse hier soir.
4. Je sais que Bruxelles ... .
5. Je crois que l'argent ... .
6. À mon avis, ...

C Communication

8. Expliquez les situations 2 et 3.

1. *Il est 14 heures. Max est encore dans un taxi. Il y a des embouteillages et le taxi n'avance pas. Il a peur de rater son avion.*

2. ...

3. ...

A Vocabulaire

1. Complétez les mots. Puis écoutez pour vérifier.

68

1. Je ne comprends pas ce que vous vou.............................. di.............................. .
2. Si ça ne vous intéresse pas, on peut ch.............................. de suj.............................. .
3. Comme con.............................., je vous envoie le compte rendu de la réunion du 3 mars.
4. Camille parle sans ar.............................., on ne peut pas dire un mot.
5. C'est urgent, je dois terminer ce travail dès que po.............................. .
6. Il ne faut jamais remettre les choses au lendem.............................. .
7. Le directeur m'a demandé de faire un ra.............................. sur l'absentéisme.
8. Ne vous in.............................. pas, tout va s'arranger.

2. Trouvez dans les phrases de l'exercice 1 des mots ou expressions qui signifient :

1. comme prévu : ***comme convenu***
2. continuellement : ....
3. rapidement : ....
4. reporter : ....
5. rentrer dans l'ordre : ....

B Grammaire

3. Dites si le sens des phrases est passé, présent ou futur.

	Passé	Présent	Futur
1. Ils viennent de sortir.	❑	❑	❑
2. Elle arrive dans deux minutes.	❑	❑	❑
3. Qu'est-ce que vous allez faire ?	❑	❑	❑
4. Un jour, je lui dirai la vérité.	❑	❑	❑
5. Désolé, je ne peux pas vous aider.	❑	❑	❑
6. Qu'est-ce que vous avez prévu ?	❑	❑	❑
7. Ils sont en train de négocier.	❑	❑	❑

4. Mettez les verbes au futur simple.

1. Demain, il (*pleuvoir*) .... toute la journée.
2. La réunion (*avoir lieu*) .... à 15 heures dans la salle 12.
3. Je (*faire*) .... ça quand j'(*avoir*) .... le temps.
4. Écoute, il est tard, on (*terminer*) .... demain.
5. C'est promis, je vous .... (*écrire*)
6. Ne t'inquiète pas, je (*être*) .... prudent.
7. J'espère que ça vous (*plaire*) ....

5. 69 **Complétez la déclaration de Caroline avec une préposition (*à, au, chez, en*) ou avec *y*. Puis écoutez pour vérifier.**

Caroline, assistant commerciale : « Demain, mon patron va .... Milan, ... Italie. Il .... va tous les jeudis. Jeudi dernier, il n'a pas pu .... aller parce qu'il était malade. C'est moi qui .... suis allée à sa place. Lui, il est resté .... lui, ... lit, toute la journée. »

C Communication

6. Vous allez vivre dans un autre pays. Répondez librement aux questions suivantes.

1. Dans quel pays allez-vous ? Dans quelle ville ?

   ....

2. Pour quelle raison avez-vous pris la décision de partir ?

   ....

3. Quand partez-vous ? Pour combien de temps ?

   ....

4. Qu'est-ce que vous allez faire là-bas ? Est-ce que vous allez travailler ?

   ....

5. Avec qui partez-vous ?

   ....

Maintenant écrivez un mail à un(e) ami(e) pour l'informer de ce beau projet.

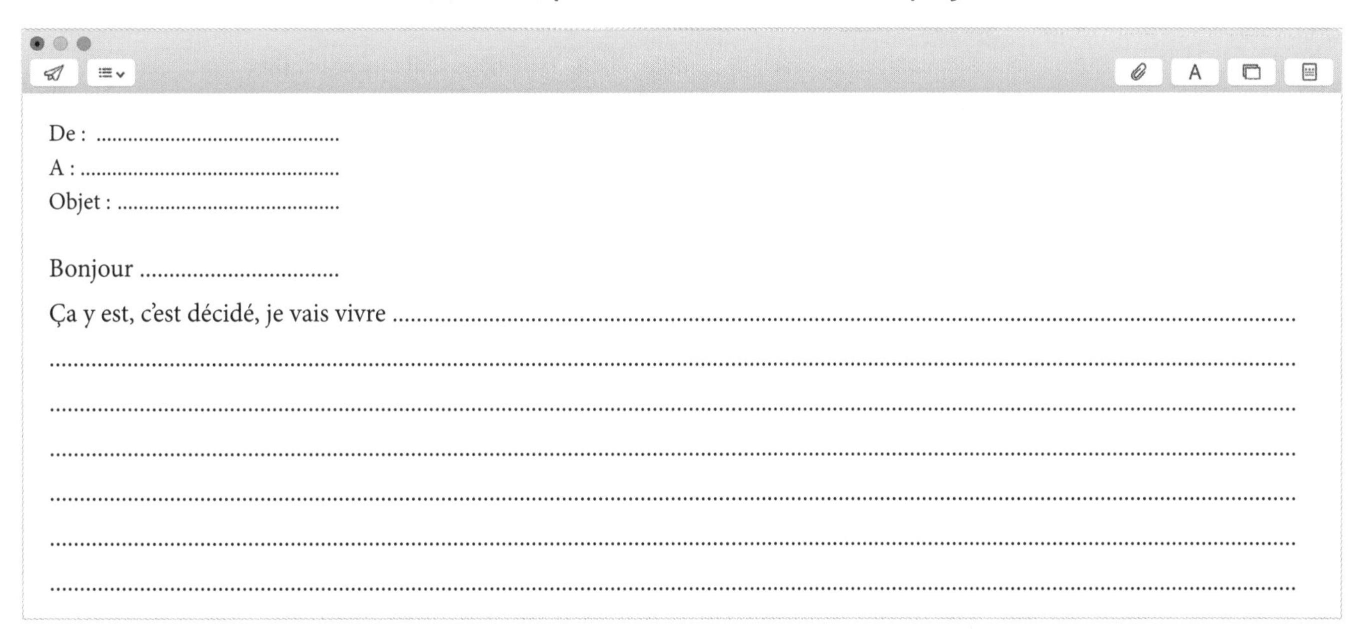

De : ....
A : ....
Objet : ....

Bonjour ....

Ça y est, c'est décidé, je vais vivre ....

....

....

....

....

....

A Le point de langue

1. Il y a une bonne ambiance dans ce bureau, tout le monde ... bien.

- ❑ se voit
- ❑ se promène
- ❑ se dispute
- ❑ s'entend

2. L'entreprise a un nouveau ... Internet.

- ❑ fixe
- ❑ site
- ❑ rapport
- ❑ sujet

3. Il est tombé et il s'est cassé ...

- ❑ l'échelle
- ❑ l'écran
- ❑ le coin
- ❑ le poignet

4. Elle a perdu son emploi, elle ne peut plus rembourser ses ...

- ❑ congés
- ❑ frites
- ❑ dettes
- ❑ impôts

5. Ne ... pas, je ne suis pas sourde.

- ❑ crie
- ❑ rigole
- ❑ dépense
- ❑ souris

6. Elle n'a pas de ..., elle a perdu beaucoup d'argent en Bourse.

- ❑ souci
- ❑ valeur
- ❑ chance
- ❑ volonté

7. Il est ... en panne d'essence sur l'autoroute.

- ❑ allé
- ❑ passé
- ❑ devenu
- ❑ tombé

8. Il y a une crise, les ... vont mal.

- ❑ affaires
- ❑ délais
- ❑ produits
- ❑ problèmes

9. Mme Bert ... le service commercial.

- ❑ dirige
- ❑ sert
- ❑ insulte
- ❑ promet

10. Autrefois, en France, des enfants ... dans les usines.

- ❑ travaillais
- ❑ travaillerais
- ❑ travaillaient
- ❑ travailleraient

11. Entendu, je vous ... dans une semaine.

- ❑ téléphoniez
- ❑ téléphonerai
- ❑ téléphonais
- ❑ téléphonerais

12. Charlie est venu et il ... tout de suite.

- ❑ repart
- ❑ repartirait
- ❑ repartait
- ❑ est reparti

13. Nous ... votre lettre du 3 mars.

- ❑ recevons bien
- ❑ avons bien reçu
- ❑ recevions bien
- ❑ recevrons bien

14. Nous ... seulement trois à la réunion de demain : Pierre Bosse, Sarah et moi.

- ❑ sont
- ❑ serons
- ❑ étions
- ❑ seront

15. Voici le rapport ... vous m'avez demandé.

- ❑ que
- ❑ qui
- ❑ qu'
- ❑ où

16. C'est moi qui ... payé, pas lui.

- ❑ ai
- ❑ a
- ❑ as
- ❑ avez

17. Mon père est à la retraite ... 2007.

- ❑ depuis
- ❑ pendant
- ❑ il y a
- ❑ pour

18. Charlie aime les pommes. Il ... a acheté trois kilos.

- ❑ en
- ❑ l'
- ❑ y
- ❑ les

B Le point de communication

1. Nous sommes lundi. Quels sont vos projets pour la semaine ?

2. Nous sommes vendredi. Votre patron veut savoir ce que vous avez fait cette semaine. Donnez deux informations.

3. Vous rencontrez un ancien ami ou collègue. Vous ne l'avez pas vu depuis plusieurs années. « Quoi de neuf ? » demande-t-il. Donnez deux nouvelles.

4. Un visiteur étranger s'intéresse à l'avenir de votre pays. Faites trois prédictions.

5. Un entretien d'embauche. Donnez trois informations sur vous.

6. Suite de l'entretien d'embauche. Dites pourquoi vous avez quitté votre dernier emploi.

7. L'un de vos collègues part en voyage d'affaires. Posez-lui trois questions sur son voyage.

8. C'est la fin de votre voyage en France. Remerciez votre hôte pour son hospitalité. Dites-lui ce que vous avez aimé.

A Traiter l'information écrite

Activité 1

Situation

Vous travaillez pour *Sociétés.com*, une entreprise spécialisée en annuaires de petites et moyennes entreprises.

Votre tâche

Complétez la fiche de la société KMX ci-dessous à l'aide des informations suivantes.

~~KMX~~ – ~~7 000 €~~ - 75 000 € – 350 000 € – 4 salariés – 2 – 0 % – 4 septembre 2017
SARL – 6 rue Ney, LYON – Maël LECOQ – France
Services aux entreprises – Formation bureautique

1. Dénomination sociale : *KMX*
2. Date de création : ....
3. Forme juridique : ....
4. Siège social : ....
5. Capital social : *7 000 €*
6. Nombre d'associés : ....
7. Gérant : ....
8. Objet social : ....
9. Secteur d'activité : ....
10. Effectifs ....
11. Étendue du marché : ....
12. Part à l'exportation : ....
13. Chiffre d'affaires : ....
14. Résultat net : ....

Activité 2

Situation

Vous travaillez pour un concepteur de jeux électroniques. Le nouveau produit de l'entreprise s'appelle Patrick.

Votre tâche

Vous devez rédiger une fiche de présentation de Patrick. Pour cela, complétez le texte ci-dessous avec les mots suivants.

son application – ses capteurs – votre compagnon – son intelligence – votre prénom

- Patrick est (1) .... de jeux. Grâce à (2) .... artificielle, il est capable d'exprimer toutes sortes d'émotions : curieux, joyeux, malicieux, obstiné ou râleur. En fait, son humeur s'adapte à vos activités.
- Patrick reconnaît votre visage, il vous appelle par (3) .... et vous propose de jouer.
- Patrick est fait pour vivre longtemps. Des tests rigoureux ont montré sa solidité. Grâce à (4) .... antichute, il ne tombe pas.
- Les mises à jour gratuites de (5) .... vous offrent régulièrement de nouveaux jeux et activités.

Activité 3

Situation

Vous travaillez pour le rayon cave à vin de *La Belle Épicerie*, un magasin de produits alimentaires haut de gamme. Karim Poulain, le chef de rayon, vous transmet le mail d'un fournisseur, les établissements Chandetou. Il vous demande de leur passer commande.

Votre tâche

Complétez le bulletin de commande ci-dessous à l'aide des indications en rouge contenues dans les mails. La solution est donnée pour les deux premiers éléments.

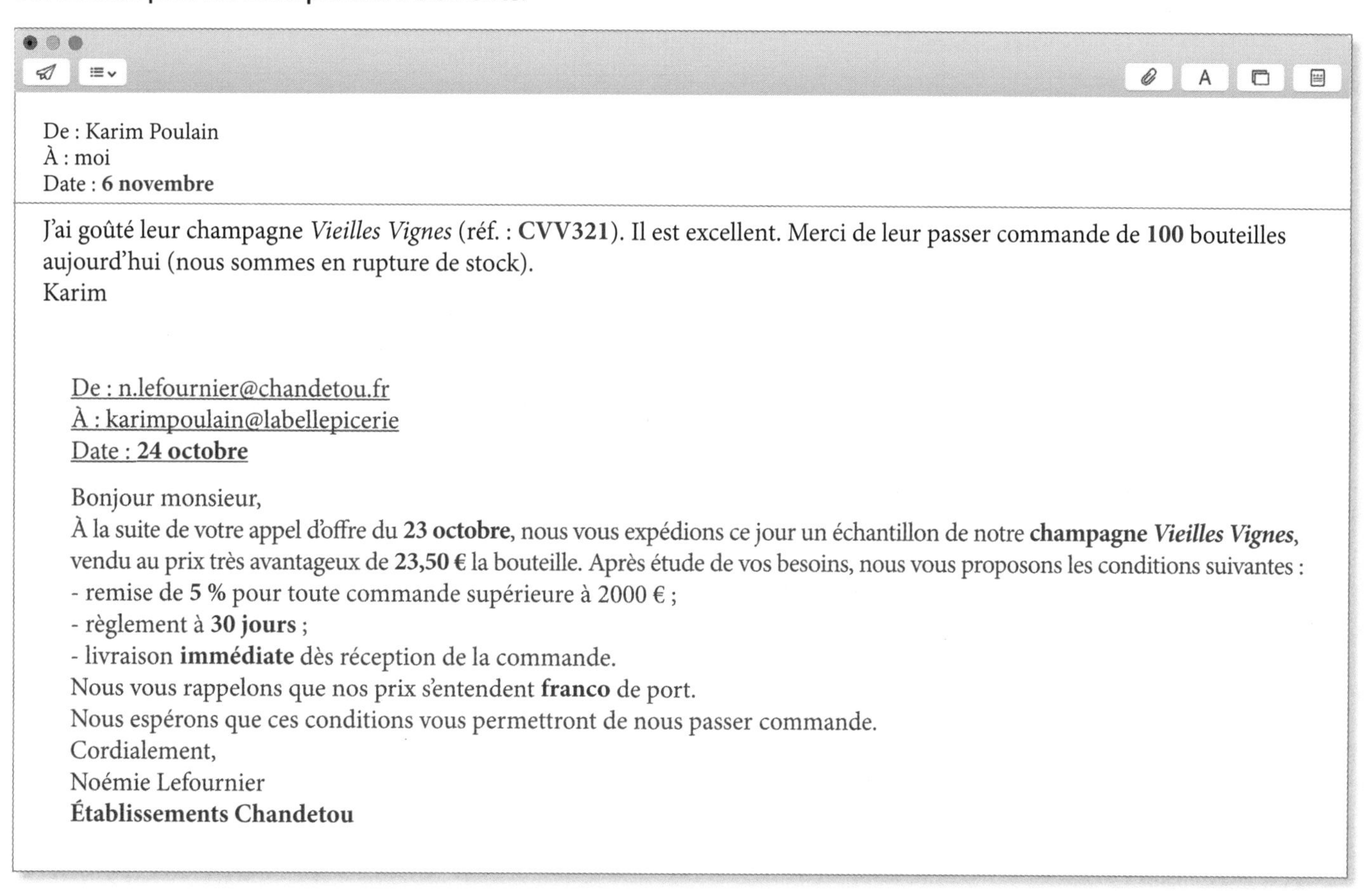

De : Karim Poulain
À : moi
Date : **6 novembre**

J'ai goûté leur champagne *Vieilles Vignes* (réf. : **CVV321**). Il est excellent. Merci de leur passer commande de **100** bouteilles aujourd'hui (nous sommes en rupture de stock).
Karim

De : n.lefournier@chandetou.fr
À : karimpoulain@labellepicerie
Date : **24 octobre**

Bonjour monsieur,
À la suite de votre appel d'offre du **23 octobre**, nous vous expédions ce jour un échantillon de notre **champagne *Vieilles Vignes***, vendu au prix très avantageux de **23,50 €** la bouteille. Après étude de vos besoins, nous vous proposons les conditions suivantes :
- remise de **5 %** pour toute commande supérieure à 2000 € ;
- règlement à **30 jours** ;
- livraison **immédiate** dès réception de la commande.

Nous vous rappelons que nos prix s'entendent **franco** de port.
Nous espérons que ces conditions vous permettront de nous passer commande.
Cordialement,
Noémie Lefournier
Établissements Chandetou

BULLETIN DE COMMANDE

La Belle Épicerie

À : (1) *Établissements Chandetou*

Notre demande de prix	Offre fournisseur	Date
du (2) *23 octobre*	du (3)	Le (4) ....

Délais de paiement	Délais de livraison	Transport
(5)	(6)	(7) ....

Désignation	Référence	Quantité	Prix unitaire	Réduction
(8)	(9)	(10)	(11)	(12) ....

Activité 4

Situation

Juliette Moreau recherche un emploi. Elle a préparé une lettre de motivation.

Votre tâche

Lisez cette lettre ci-dessous. Puis, dans les offres d'emploi suivantes, cochez ☑ les critères qui correspondent à son profil et à ce qu'elle recherche.

Hôtesses Salon de l'aéronautique

- ☐ CDD
- ☐ Disponible du 6 au 15 novembre.
- ☐ De 9 h 00 à 18 h 00
- ☐ Expérience d'hôtesse sur stand
- ☐ Parfaite maîtrise du français
- ☐ Bon niveau d'anglais
- ☐ Souriante, dynamique
- ☐ Sens du relationnel

Hôte(sse) en cabinet d'avocats

- ☐ CDD 12 mois
- ☐ Temps partiel, du lundi au vendredi.
- ☐ De 9 h 00 à 12 h 00
- ☐ Anglais d'accueil (minimum)
- ☐ Excellente présentation
- ☐ Excellente expression orale
- ☐ Niveau baccalauréat
- ☐ Bonne résistance au stress

Hôte/Hôtesse d'accueil

- ☐ CDI
- ☐ 20 heures du lundi au vendredi
- ☐ Accueil des visiteurs
- ☐ Accueil téléphonique
- ☐ Parfaitement bilingue anglais-français
- ☐ Bonnes connaissances d'allemand
- ☐ Expérience d'un an en entreprise

Hôte(sse) d'accueil H/F

- ☐ CDI, temps plein
- ☐ Accueil physique et gestion de standard
- ☐ Travail de secrétariat (création de badges visiteurs, vérification des salles de réunion, réservation de taxis et coursiers, etc.)
- ☐ Anglais requis
- ☐ Expérience dans l'accueil

Date : 15 septembre

Madame, Monsieur

Je prépare un master de commerce international à l'université de Paris-Est. Pour financer mes études, je suis à la recherche d'un poste d'hôtesse à temps partiel, à partir du 1er octobre jusqu'au 31 août de l'année prochaine. Je suis disponible l'après-midi.

J'ai une bonne maîtrise de l'anglais et des notions d'allemand. Je peux ainsi accueillir une clientèle étrangère dans d'excellentes conditions. Ces deux derniers étés, j'ai travaillé à l'accueil-standard d'une compagnie d'assurances pendant deux mois et à plein temps. Outre l'accueil-standard, j'effectuais diverses tâches administratives. J'ai par ailleurs assuré des missions ponctuelles de plusieurs jours à l'accueil de différents salons professionnels.

D'excellente présentation, souriante, rigoureuse, dynamique, communicative, dotée d'une bonne élocution, je sais gérer des situations difficiles. Pour de plus amples informations, je vous transmets ci-joint mon curriculum vitae et me tiens à votre disposition pour un entretien.

Veuillez recevoir, Madame, Monsieur, mes cordiales salutations.

Juliette MOREAU

B Traiter l'information orale

Activité 5

Situation

Vous participez à l'organisation d'un séminaire d'une journée. Le responsable vous demande d'apporter des modifications au programme ci-dessous.

Votre tâche

Lisez le programme ci-dessous, écoutez et apportez les modifications.

9 h 00 *Introduction* J. Lagadec (ESPC)	**14 h 00** *Cas client HPC* G. Ben Soussan (Corcal)
9 h 15 *La part du digital sur le marché de la publicité locale* P. Chazal (Club Info)	**15 h 00** *Restitution des travaux de groupe de l'étude de cas HPC* G. Ben Soussan (Corcal)
10 h 45 *Les stratégies gagnantes de commercialisation des supports digitaux auprès des annonceurs locaux* R. Robineau (leboncoin)	**15 h 30** Pause
11 h 15 Pause	**16 h 00** *La maison connectée* Table ronde JF Hans (Club5000) B. Badou (DisMoiOù) G. Ben Soussan (Corcal) N. Savonnet (Connectic)
11 h 30 *Le téléphone mobile, nouvel allié des commerçants* W. Graziani (PlaceShop)	
12 h 30 Déjeuner	**17 h 30** *Conclusion* J. Lagadec (ESPC)

Activité 6

Situation

Vous travaillez pour un fabricant de composants électroniques. Demain, Pauline, votre supérieure hiérarchique, est en déplacement. Vous accueillez M. Kessler, un client allemand important, à sa place. Avant de partir, elle vous donne quelques instructions.

Votre tâche

Écoutez Pauline et cochez ☑ ci-dessous les notes correspondant à ses instructions.

VISITE DE M. KESSLER
À faire

☐ Envoyer par texto votre numéro de téléphone à M. Kessler.
☐ Aller chercher M. Kessler à la gare.
☐ Téléphoner à M. Kessler demain matin.

☐ Demander à Bertier quand, où et pourquoi il voyage.
☐ Dire à Bertier que Pauline est en déplacement.
☐ Ne pas dire à Bertier que Pauline est en déplacement.

Présenter :
☐ le PK3 exclusivement.
☐ tous les PK, à l'exception du PK3.
☐ toute la gamme PK.

Visiter le magasin :
☐ avec Charlotte.
☐ avec Bertier.
☐ sans Charlotte ni Bertier.

☐ Négocier les détails des conditions de ventes.
☐ Laisser la conclusion du contrat pour plus tard.
☐ Acheter un billet pour Francfort.

Déjeuner dans un restaurant :
☐ asiatique.
☐ végétarien.
☐ français.

☐ Parler seulement de football.
☐ Ne pas parler de sport.
☐ Parler de sport et d'autres sujets.

Si besoin :
☐ Téléphoner à Pauline.
☐ Envoyer un message à Pauline.
☐ Demander de l'aide à Bertier.

C Interagir à l'écrit

Activité 7

Situation

À la suite de votre candidature à un emploi,
vous avez reçu le mail suivant :

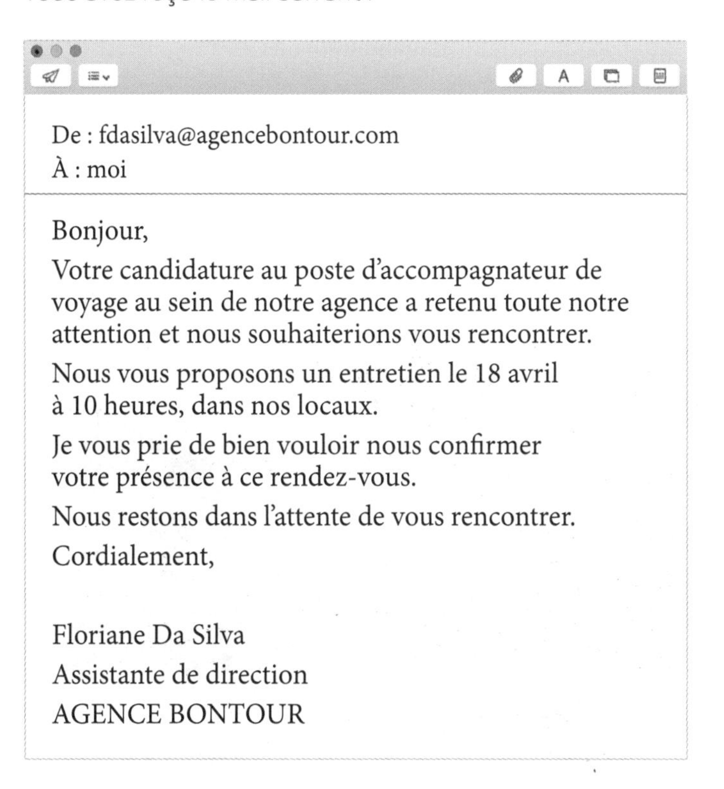

De : fdasilva@agencebontour.com
À : moi

Bonjour,
Votre candidature au poste d'accompagnateur de voyage au sein de notre agence a retenu toute notre attention et nous souhaiterions vous rencontrer.
Nous vous proposons un entretien le 18 avril à 10 heures, dans nos locaux.
Je vous prie de bien vouloir nous confirmer votre présence à ce rendez-vous.
Nous restons dans l'attente de vous rencontrer.
Cordialement,

Floriane Da Silva
Assistante de direction
AGENCE BONTOUR

Votre tâche

Vous répondez à ce mail.

- **Remerciez pour l'intérêt que l'agence porte à votre candidature.**
- **Dites que le moment du rendez-vous ne vous convient pas. Expliquez pourquoi.**
- **Faites une proposition.**
- **Concluez et saluez.**

Écrivez environ 50 mots.

De : moi
À : fdasilva@agencebontour.com

....

....

....

....

....

....

....

....

....

....

D Interagir à l'oral

Activité 1

Situation

Vous travaillez pour une entreprise qui commercialise des séminaires d'entreprise dans des résidences de tourisme. Vous rencontrez un client qui souhaite organiser un séminaire. Il vous demande des informations sur les différentes possibilités.

Votre tâche

Lisez le document ci-dessous et répondez aux questions du client.

Séminaires

Salle de restaurant

Une restauration variée et raffinée

- Gastronomique et locale, imaginée par nos chefs.
- Buffets savoureux ou repas servi à l'assiette.
- Dîners de gala et pauses gourmandes.

Salles de réunion

Des salles de réunion modulables

- Grande capacité : jusqu'à 100 personnes.
- Équipements professionnels et techniques de haute qualité (sonorisation, éclairage, etc.).
- Salles à la lumière du jour.
- Accès Wi-Fi.

Des activités motivantes

- Cours de cuisine, jeux de piste, tir à l'arc, tournoi de pétanque, etc.
- Découverte de nos régions avec des excursions sur-mesure
- Activités en soirée : cocktail, soirée de gala, soirée festive.

Nos destinations

Activité 2

Situation

Vous postulez à un poste de bibliothécaire documentaliste dans la médiathèque d'un comité d'entreprise.

Votre tâche

Voici ci-dessous votre C.V. À l'aide de ce C.V., présentez-vous, présentez votre parcours de formation, votre expérience professionnelle et vos principales compétences.

Camille FISCHER
76 rue Gutenberg
67000 STRASBOURG
03 88 10 75 31
c.fischer@gmail.com

Bibliothécaire – Documentaliste
Bilingue français-allemand

Compétences

- Accueil du public ; orientation dans les rayons ; conseils de lecture.
- Gestion de fichiers, des achats et du prêt sur support informatique.
- Classement d'archives et de documents, recherche documentaire sur faits divers.
- Enregistrement et indexation de documents sonores sur supports magnétiques.

Expérience professionnelle

Depuis 2020	**Documentaliste** au JOURNAL DE STRASBOURG • Recherche documentaire sur les faits divers. • En charge du projet de numérisation du fonds d'archives.
2017-2019	**Bibliothécaire** à la MEDIATHÈQUE DE NANTES • Organisation d'événements (animations, ateliers, rencontres, etc.). • Aide aux démarches administratives en ligne.
2016	**Libraire stagiaire** pendant quatre mois dans la librairie *City Books*, à Brighton (Angleterre).

Formation

2011-2016	UNIVERSITÉ DE LYON 1 **Master sciences de l'information et des bibliothèques**
2010	Baccalauréat (option littéraire), mention « très bien ».

Langues

- Bilingue français-allemand
- Anglais : courant (quatre mois en Angleterre)
- Espagnol : bon niveau lu et parlé

Centres d'intérêt

Auteur de romans policiers
Formateur dans un atelier d'écriture
Choriste soprane dans le Chœur régional Grand Est

ENTRAÎNEMENT DELF PRO A2

A Compréhension orale

1. Vous organisez une réunion dans un hôtel.

Vous allez entendre un message de la responsable de votre service. Elle vous donne des instructions sur l'organisation de cette réunion.
Lisez les consignes suivantes, écoutez, puis complétez le formulaire ci-dessous.
Écoutez deux fois.

RÉUNION TECHNIQUE

Lieu : *Hôtel du Globe*

Date : .... Horaires : ....

Déjeuner : ❑ oui ❑ non Prix du déjeuner : .... €

Salle : .... au .... étage

2. Vous participez à une réunion.

L'ordre du jour comprend six points. Vous allez entendre six courts dialogues extraits de cette réunion.
Lisez, écoutez, puis indiquez à quel point de l'ordre du jour se rapporte chaque dialogue. La solution est donnée pour le dialogue 1.
Écoutez deux fois.

	Ordre du jour
1 *b*	**a.** Communication interne.
2	**b.** ***Période de congés.***
3	**c.** Frais de transport.
4	**d.** Résultat des ventes.
5	**e.** Sécurité.
6	**f.** Restauration.

3. Vous visitez une usine.

Avec des collègues de travail, vous visitez l'usine d'Électra, un fabricant de composants électroniques.

Vous allez entendre le discours de bienvenue.

Lisez les questions, écoutez, puis répondez.

Écoutez deux fois.

1. Le film de présentation de l'usine dure environ :

- **a.** 10 minutes.
- **b.** 15 minutes.
- **c.** 20 minutes.

2. Cette usine est en service depuis .... ans.

3. Électra emploie .... personnes.

4. La visite de l'usine dure environ :

- **a.** 1 heure.
- **b.** 1 heure 30.
- **c.** 2 heures.

5. À quelle heure se termine la visite ?

- **a.** À 11 heures.
- **b.** À midi.
- **c.** Non précisé.

6. Finalement, quel est le programme ? Mettez dans l'ordre chronologique.

- **a.** Question ....
- **b.** Film ....
- **c.** Visite de l'usine ....
- **d.** Retour dans la salle *4*

4. Vous avez un message.

Vous allez entendre un message de Clara, une collègue de travail, concernant une réunion avec Paul Vial, le responsable de la sécurité.

Lisez les questions, écoutez, puis répondez.

Écoutez deux fois.

1. La réunion est fixée à :

- **a.** lundi.
- **b.** mardi.
- **c.** jeudi.

2. À :

- **a.** 14 h 00.
- **b.** 15 h 00.
- **c.** 16 h 00.

3. Dans la salle ....

4. Combien de personnes assisteront à la réunion ?

- **a.** 2.
- **b.** 3.
- **c.** 4.

5. Quel est le numéro de téléphone de monsieur Vial ? Complétez.

04 47 70 ....

6. Quelle est son adresse électronique ?

- **a.** paulvial@km3.com
- **b.** paul.vial@km3.com
- **c.** p.vial@km3.com

B Compréhension des écrits

1. Vous lisez votre courrier.

Les phrases suivantes sont extraites de différents courriers d'entreprise.
Indiquez sous chaque phrase l'objectif de chaque courrier.
La solution est donnée pour la première phrase.

Objectifs

1. Informer
2. Demander
3. Interdire
4. Conseiller
5. **Inviter**
6. Faire une offre

a. Le groupe Bossard a le plaisir de vous inviter à une conférence-débat le mardi 30 novembre 2015 sur le développement durable.

b. Pouvez-vous m'envoyer votre brochure ?

c. Mme Simonin dînera et prendra son petit-déjeuner à l'hôtel.

d. Vous n'êtes pas autorisé à utiliser ce document.

e. Nous vous proposons ce produit à un prix particulièrement intéressant.

f. Tu devrais parler de ton problème à Mme Tissier.

2. Vous avez reçu cette note de service concernant une formation.

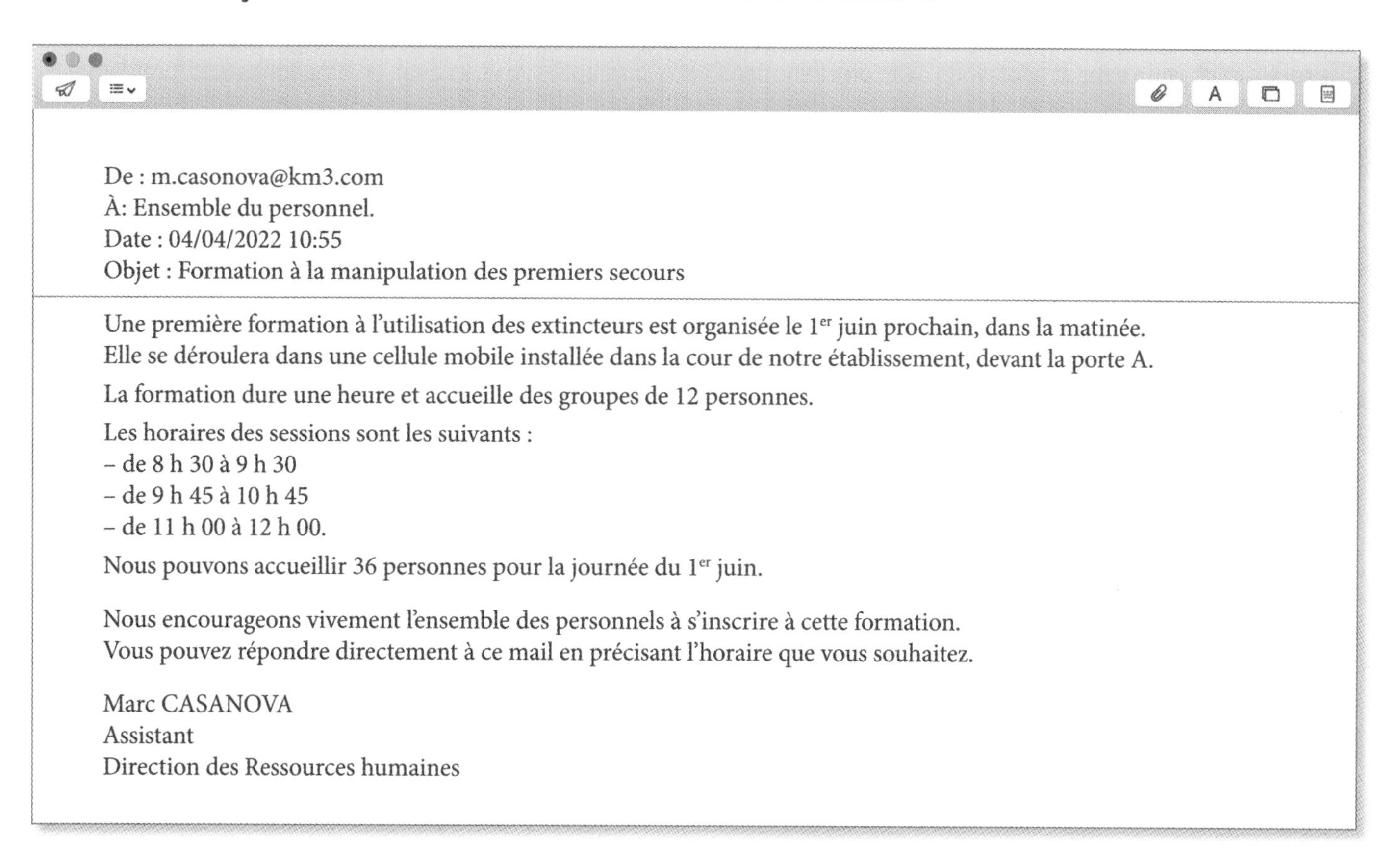

De : m.casonova@km3.com
À: Ensemble du personnel.
Date : 04/04/2022 10:55
Objet : Formation à la manipulation des premiers secours

Une première formation à l'utilisation des extincteurs est organisée le 1er juin prochain, dans la matinée.
Elle se déroulera dans une cellule mobile installée dans la cour de notre établissement, devant la porte A.

La formation dure une heure et accueille des groupes de 12 personnes.

Les horaires des sessions sont les suivants :
- de 8 h 30 à 9 h 30
- de 9 h 45 à 10 h 45
- de 11 h 00 à 12 h 00.

Nous pouvons accueillir 36 personnes pour la journée du 1er juin.

Nous encourageons vivement l'ensemble des personnels à s'inscrire à cette formation.
Vous pouvez répondre directement à ce mail en précisant l'horaire que vous souhaitez.

Marc CASANOVA
Assistant
Direction des Ressources humaines

Vous voulez participer à la formation.
Que devez-vous faire ?
Cochez (☒) deux réponses.

a. Envoyer une lettre. ❑

b. Choisir un horaire. ❑

c. Compléter un formulaire. ❑

d. Envoyer un courriel. ❑

e. Prendre un jour de congé le 1er juin. ❑

f. Demander l'autorisation à la Direction. ❑

C Production écrite

Cet après-midi, vous avez rendez-vous avec un client dans votre bureau. Mais vous avez un empêchement (problème). Vous ne pouvez pas le recevoir.
Vous écrivez un courriel à un(e) collègue de bureau :

- **Expliquez la situation. Dites à quelle heure vient le client.**
- **Dites pourquoi vous ne pouvez pas recevoir le client.**
- **Demandez à votre collègue de recevoir le client à votre place.**
- **Donnez deux ou trois informations sur le client. Expliquez pourquoi il vient.**
- **Remerciez votre collègue.**

Écrivez environ 50 mots.

....
....
....
....
....
....
....
....
....
....
....
....
....
....

D Production et interaction orales

Jouez à deux.

Intervertissez le rôle du responsable.

1. Vous ne pouvez pas assister à la réunion de demain. Vous en parlez à votre responsable et vous expliquez pourquoi.
2. Vous voulez changer de bureau. Vous en parlez à votre responsable et vous expliquez pourquoi.

Pour chaque situation, parlez environ 3 minutes.

TRANSCRIPTION DES ENREGISTREMENTS DFP A2 – DELF PRO A2

DFP A2 (CCI Paris Île-de-France)

Activité 5

Il faut apporter quelques modifications au programme. Pour sa conférence sur le téléphone mobile, celle de 11 h 30, monsieur Graziani m'a appelé. Il voulait qu'elle soit plus longue et je lui ai proposé une demi-heure de plus, de 11 h 30 à 13 h. Donc, on fixe le déjeuner à 13 h 00 au lieu de 12 h 30. Il reste une heure pour manger, je pense que c'est suffisant. Et puis, autre demande de M. Graziani, il faut mettre un point d'interrogation à l'intitulé de sa conférence. Donc : « Le téléphone mobile, nouvel allié des commerçants, point d'interrogation. » Apparemment, pour lui, c'est important.

Quoi encore ? Pour la table ronde de l'après-midi, Nicolas Lavonnet, euh non, Savonnet, Nicolas Savonnet ne peut pas participer. Il m'a envoyé un mail, il sera en voyage et il doit annuler. Pas de problème pour les trois autres, ils ont confirmé leur participation, y compris Bernard Badou.

Dernière chose, d'après Noëlle, il ne faut pas terminer la journée trop tard. Donc, on programme la table ronde de 16 à 17 heures et on avance la conclusion à 17 h 00 au lieu de 17 h 30. Bon, je crois que c'est tout. En résumé, il faut modifier deux horaires, ajouter un point d'interrogation, supprimer le nom de Nicolas Savonnet de la table ronde. Voilà, on fait ces petites corrections et on envoie le programme.

Activité 6

J'ai prévenu M. Kessler que je serais en déplacement toute la journée et que donc c'est toi qui le recevrais. Il m'a confirmé qu'il arriverait demain matin. Je lui ai dit que tu l'attendrais à la gare. Son train arrive de Frankfort à 11 h 00, 11 h 05 pour être précis. Sois à l'heure, s'il te plaît. Je lui ai donné ton numéro de portable, au cas où, s'il y a un problème. De ton côté, si tu as besoin de l'appeler, son numéro, c'est le... attends... 65 43 non attends 33, 65 33 50 88 27 non pas 27 excuse-moi, bon, écoute, je te l'envoie par texto.

Si tu vois Bertier, ne lui dis pas que je suis en déplacement. Je ne lui ai rien dit, il n'a pas besoin de savoir. Il ne me dit jamais quand, ni où, ni pourquoi il voyage.

Kessler veut voir tous les PK, donc le mieux, c'est de lui présenter toute la gamme. L'année dernière, il ne s'intéressait qu'aux PK3, mais cette fois-ci non, en fait je crois que tous les PK peuvent l'intéresser, sans exception, donc, c'est ça, tu lui présentes toute la gamme.

Pour la visite du magasin, vas-y seul(e) avec lui. Il connaît bien Charlotte, mais elle est en vacances, comme tu sais, et je préfère que Bertier reste dans son bureau. Il parle trop, il va faire des bourdes, c'est sûr, et puis Kessler ne l'apprécie pas beaucoup. Donc, le plus prudent, c'est toi avec Kessler, toi seul, et personne d'autre, et surtout pas Bertier.

Sur les conditions de vente, c'est pas la peine d'entrer dans les détails pour l'instant, il veut tout négocier, je verrai avec lui plus tard. Je me charge de négocier les détails, c'est un gros contrat, dis-lui que je suis prête à aller à Frankfort pour finaliser.

Pour le déjeuner, amène-le dans un resto français, un truc classique, genre cuisine familiale traditionnelle. Rien d'exotique, surtout pas de restaurant chinois ou végétarien, c'est un bon mangeur, un pur carnivore. Tu peux aller à *La Casserole*, je l'ai invité une fois, il a trouvé ça super. C'est budget illimité, dans la limite du raisonnable.

Bon, tu verras, c'est un type dur en affaires, mais très sympa. Au resto, tu peux laisser tomber le bizness. Il aime bien parler de sport, surtout de foot, mais pas seulement, en fait avec lui, tu peux parler de tout, tu verras, il s'intéresse vraiment à tout et il connaît des tas de choses, tu ne devrais pas t'ennuyer.

S'il y a un problème, mais il n'y aura pas de problème, je pense, en tout cas, bon, si tu as une question, envoie-moi un texto, je te répondrai rapidement. De préférence, ne m'appelle pas, la sonnerie du téléphone en pleine réunion, c'est pas top. Et aussi ne demande rien à Bertier, s'il te propose ses services, dis-lui que tout va bien merci.

DELF Pro A2

1. Vous organisez une réunion dans un hôtel.

Pour la réunion technique, ce sera le 27 mars, le lundi 27 mars. J'ai appelé l'hôtel du Globe et j'ai réservé une salle de 9 heures à 13 heures. Pour le déjeuner, c'est d'accord, j'ai réussi à négocier un prix correct, ça nous fera un menu à 23 euros par personne, vin compris. Je vais vous envoyer la liste des participants avec les adresses mail et les numéros de téléphone. Merci de prévenir tout le monde. La salle peut contenir 25 personnes, ce sera largement suffisant. Précisez que c'est la salle Azur, c'est le nom de la salle, A, Z, U, R, au premier étage. Voilà, donc, si je résume, le 27 mars, 9 h 00- 13 h 00, salle Azur, au premier. À bientôt.

2. Vous participez à une réunion.

Dialogue 1

- Cette année, nous fermerons en août, pendant trois semaines, du 5 au 25 août.
- Donc, si je comprends bien, on n'aura pas le choix.
- Exact, tout le monde sera en vacances pendant cette période.

Dialogue 2

- Comme vous le savez, il y a encore eu un accident dans l'atelier bleu. C'est le troisième accident en trois mois.
- Pourtant, il y a des consignes très strictes.
- Le problème, c'est que ces consignes ne sont pas respectées.
- J'ai envoyé une note le mois dernier pour rappeler que les combinaisons de protection sont obligatoires. La note est affichée dans tous les ateliers.
- Oui, les gars savent ça, ils savent aussi que le travail est dangereux, mais ils disent que les combinaisons sont trop lourdes.
- Écoutez, je ne veux rien savoir, je ne veux plus d'accident.

Dialogue 3

- En fait, les plats sont toujours les mêmes, il n'y a aucune variété, on a des réclamations tous les jours.
- Parce que ce n'est pas assez varié ?
- Pas seulement.
- Pas seulement ?
- Un jour, le poisson n'est pas frais. Un autre jour, les frites sont froides ou alors, il n'y a pas assez de pain. Bref, tous les jours, il y a quelque chose.

Dialogue 4

- La conclusion de tout ça, c'est qu'il n'y a pas assez d'échanges entre les services, l'information ne circule pas ou pas assez, chacun reste dans son coin. Maintenant, la question est de savoir comment favoriser les échanges.
- Oui, comment ?
- Le rapport propose plusieurs pistes : enrichir le journal de l'entreprise, organiser des réunions mensuelles, installer une boîte à idées...
- Une boîte à idées ?
- Oui, une boîte où chacun mettrait ses idées, ses suggestions.

Dialogue 5

- Quelle est la situation de ceux qui viennent en voiture ?
- En voiture ?
- Oui, qu'est-ce que paie l'entreprise dans ce cas ? Est-ce qu'on rembourse les frais d'essence ?
- Nous remboursons 50 % des frais d'essence.

- L'essence a beaucoup augmenté ces derniers temps.
- Oui, et alors ?
- Est-ce qu'on pourrait aller jusqu'à 70 %?
- Écoutez, ceux qui trouvent l'essence trop chère n'ont qu'à prendre le train.

Dialogue 6

- Comme vous le voyez sur ce graphique, notre chiffre d'affaires a fortement progressé par rapport à l'année dernière.
- Est-ce que le PC20 continue de se vendre ?
- Absolument, c'est même notre produit phare, de très loin, avec 48 000 unités vendues cette année.

3. Vous visitez une usine.

Bonjour à toutes et à tous, bienvenue chez Électra. Je m'appelle Manon Garcia, je suis chargée de communication et c'est moi qui vais vous accompagner pendant cette matinée. Pour commencer, avant de visiter l'usine, je vous propose de visionner un film. C'est un petit film de dix minutes, environ dix minutes, qui vous présente Électra, son histoire, son activité. Après le visionnage, je répondrai à vos questions, si vous en avez, mais je pense que vous aurez des questions. Ensuite, nous traverserons la cour pour aller à l'usine. C'est une usine très moderne, elle est en service depuis deux ans, seulement deux ans. Le site s'étend sur huit hectares. Électra emploie 160 personnes, ouvriers, techniciens, ingénieurs. Vous verrez par vous-mêmes que l'organisation et les conditions de travail sont tout à fait exceptionnelles, tout comme les méthodes de production. La visite de l'usine nous prendra environ une heure et demie. Après la visite, nous reviendrons dans cette salle. Voilà. Si vous voulez, vous pouvez laisser vos affaires ici, l'endroit est tout à fait sûr.

4. Vous avez un message.

Bonjour, c'est Clara à l'appareil. J'ai finalement réussi à joindre Paul Vial. J'ai pris rendez-vous et bon, alors, on doit se voir jeudi prochain à 15 heures. J'ai réservé la salle 102. Je lui ai dit que tu viendrais, on sera donc trois, toi, lui et moi. Si tu as des questions avant la réunion, tu peux l'appeler directement ou lui envoyer un mail. Tu peux le joindre au 04 47 70 10 88. Je répète : 04 47 70 10 88. Son mail, c'est p.vial, arobase, km3.com. Bon, allez, n'oublie pas, jeudi 15 heures dans la 102. À bientôt.

1 Premiers contacts

Faire ses premiers pas

au revoir ....
un avion ....
bonjour ....
merci ....
monsieur ....
un mot ....
pardon ....
qu'est-ce que c'est ? ....
s'il vous plaît ....
une valise ....
voilà un ticket ....
une voiture ....
un voyageur ....
un, deux, trois ....
treize, quatorze ....
quatre, cinq, six ....
dix-sept, dix-huit ....
dix, onze, douze ....
sept, huit, neuf ....
quinze, seize ....
complétez ....
consultez ....
écoutez ....
écrivez ....
répétez ....
....
....

2. Faire ses premiers pas

allemand ....
chinois ....
espagnol ....
français ....
je m'appelle ....
j'ai 20 ans ....
être ....
un(e) étudiant(e) ....
habiter ....
une langue ....
oui/non ....
parler ....
trente, quarante ....
cinquante, soixante ....
soixante-dix ....
quatre-vingts ....
quatre-vingt-dix ....
....
....

3. Prendre contact

aller ....
ça va bien ....
enchanté ....
excusez-moi ....
un instant ....
madame ....
un nom ....
épeler ....
vous pouvez épeler ? ....
qui est-ce ? ....
salut ....
....
....

4. Travailler en entreprise

un(e) avocat(e) ....
bien sûr ....
chez Michelin ....
un(e) collègue ....
un(e) comptable ....
connaître ....
une entreprise ....
qu'est-ce qu'il fait ? ....
une librairie ....
un livre ....
un meuble ....
une montre ....
un ordinateur ....
où ....
un stylo ....
travailler ....

un vendeur ....
vendre ....
....
....

5. Communiquer ses coordonnées

une adresse ....
une carte de visite ....
un code postal ....
un directeur ....
un numéro de téléphone ....
un pays ....
une personne ....
le personnel ....
un prénom ....
un professeur ....
un renseignement ....
une rue ....
un(e) salarié(e) ....
une société ....
un travail ....
une ville ....
....
....

2 Objets

1. Utiliser des objets

un appareil photo ....
arrêter ....
un billet d'avion ....
une boîte ....
une carte bancaire ....
chercher ....
choisir ....
des ciseaux ....
une clé ....
une cuillère ....
un journal ....
des lunettes ....
un mal de tête ....
manger ....
ouvrir ....
une pièce (de monnaie) ....
une poche ....
une porte ....
un portefeuille ....
poster (une lettre) ....
pourquoi ....
prendre ....
quelque chose ....
régler (un achat) ....
un rendez-vous ....
un sac (en cuir) ....
une tasse ....
un téléphone portable ....
un timbre ....
trouver ....
un verre ....
un vin ....
voyager ....
....
....

2. Avoir ou ne pas avoir

acheter ....
aimer ....
l'argent ....
cher ....
un(e) client(e) ....
combien ....
un costume ....
coûter ....
une cravate ....
donner ....
entrer ....
gros ....
heureux ....
poser une question ....
un prix ....
un vélo ....
un vêtement ....
cent, mille ....
....

3. Situer des objets

un bureau ....
une chaise ....
un chapeau ....
un crayon ....
à droite ....
une étagère ....
une feuille (de papier) ....
des gants ....
à gauche ....
il y a ....
une imprimante ....
sur ....
sous ....
par terre ....
un parapluie ....
regardez ....
un tiroir ....
une veste ....
....
....

4. Décrire des objets

beau (belle) ....
blanc/noir ....
bleu/vert ....
jaune/rouge ....
bon ≠ mauvais ....
bruyant ≠ tranquille ....
grand ≠ petit ....
froid ≠ chaud ....
long ≠ court ....
épais ≠ mince ....
lent ≠ rapide ....
léger ≠ lourd ....
une maison ....
il manque le toit ....
la neige ....
neuf ≠ nouveau ....
ouvert ≠ fermé ....
grand ≠ petit ....
plein vide ....
un problème ....
une réponse ....
....
....

5. Dire ses préférences

avoir besoin de ....
bon marché ....
une chaîne (TV) ....
efficace ....
ensemble ....
des gens ....
intéressant ....
un magasin ....
moderne ....
pratique ....
précis ....
préférer ....
....
....

3 Agenda

1. Donner l'heure

une année ....
un jour ....
un matin ....
un après-midi ....
commencer ....
demander ....
durer ....
un endroit ....
environ ....
finir ....
une gare ....
un horaire ....
midi ....
minuit ....
un mois ....
un moment ....
quelle heure est-il ? ....
se reposer ....

une réunion ...
je suis sûr(e) ...
se terminer ...
...
...

2. Raconter sa journée de travail

arrêter ...
célibataire ...
se coucher ...
déjeuner ...
dîner ...
dormir ...
se doucher ...
de l'eau ...
faux ...
femme ...
s'habiller ...
un jeu (vidéo) ...
jusqu'à ...
se lever ...
un petit-déjeuner ...
se réveiller ...
un soir ...
sortir ...
tard ...
tôt ...
vrai ...
...
...

3. Parler de ses habitudes

à l'étranger ...
apporter ...
assister à (une réunion) ...
avec ...
une école ...
un enfant ...
expliquer ...
fatigué ...
une habitude ...
un mari ...
un patron ...
je suis pressé(e) ...
quitter ...
rencontrer ...
rester ...
le service des achats ...
un supermarché ...
des vacances ...
un(e) voisin(e) ...
...
...

4. Raconter les mois et les saisons

un anniversaire ...
un climat ...
un congé ...
une date ...
un jour férié ...
humide ...
la mer ...
la montagne ...
je suis né(e) ...
neiger ...
un nuage ...
partir ...
passer (du temps) ...
pleuvoir ...
le soleil ...
quel temps fait-il? ...
triste ...
...
...

5. Prendre rendez-vous

bientôt ...
la campagne ...
d'accord ...
un début ...
désolé(e) ...
dire ...
un emploi du temps ...
une famille ...

une fin ...
l'informatique ...
un lieu ...
maintenant ...
parfait ...
pouvoir ...
prochain ...
proposer ...
refuser ...
rencontrer ...
une semaine ...
urgent ...
venir ...
se voir ...
...
...

4 Voyage

1. Aller à l'hôtel

une baignoire ...
un centre-ville ...
complet ...
un départ ...
payer en espèces ...
un jardin ...
un lit ...
une note d'hôtel ...
une nuit ...
une pièce d'identité ...
une piscine ...
un quartier ...
réserver une chambre ...
une salle de réunion ...
une salle de bains ...
serviable ...
souriant ...
...
...

2. Prendre le bon chemin

un ascenseur ...
continuer ...
un couloir ...
une erreur ...
oublier ...
un plan (de la ville) ...
se rendre (quelque part) ...
où est la sortie ? ...
une station de métro ...
suivre ...
allez tout droit ...
traverser ...
un trottoir ...
...
...

3. Se déplacer

une banlieue ...
une carte ...
combien de temps ? ...
comment ...
se déplacer ...
un embouteillage ...
un entrepôt ...
à pied ...
prendre l'avion ...
un trajet ...
se trouver ...
une usine ...
visiter ...
vivre ...
...
...

4. Conseiller un voyageur

s'asseoir ...
à mon avis ...
boire ...
un château ...
une chaussure ...
conduire ...
dangereux ...
se débrouiller ...

dehors
enlever
fumer
goûter
s'habituer
interdire
jeter
louer
marcher
payer
un piéton
se promener
propre
prudent
se rappeler
une règle
se renseigner
le transport public
un voleur

5. Prendre le train

un aller simple
un aller-retour
s'arrêter
demain
embrasser
un guichet
passer par
un quai
une voie

5 Travail

1. Participer à un déjeuner d'affaires

à partir de
une addition
une assiette
aujourd'hui
une boisson
une bouteille
un canard
une casserole
de la charcuterie
un choix
commander
un dessert
essayer
une frite
un fromage
un gâteau
une glace
une huile
un légume
des pâtes
une poire
un poisson
le riz
le sel
un serveur
service compris
une viande

2. Passer un appel téléphonique

appeler
compter sur
joindre
laisser un message
partager
je vous passe Paul
répondre
Je suis bien chez Paul ?
Je voudrais parler à Paul.
Je rappellerai plus tard.
C'est de la part de qui ?
C'est à quel sujet ?
Je voudrais une information.
Un instant, s'il vous plaît.
Ne quittez pas.

3. Dire son expérience

français courant ....
un curriculum vitae ....
un entretien d'embauche ....
envoyer ....
à l'étranger ....
étudier ....
une expérience ....
gagner une course ....
gagner de l'argent ....
une lettre de motivation ....
négocier ....
une offre d'emploi ....
perdre ....
rechercher ....
un salaire ....
savoir ....
....
....

4. Donner de ses nouvelles

un an ....
construire ....
créer ....
démissionner ....
détester ....
devenir ....
une école de commerce ....
un ingénieur ....
un fils/une fille ....
gentil ....
jeune ....
joli ....
louer ....
obtenir ....
un poste ....
une promesse ....
quitter ....
quoi de neuf ? ....
quoi encore ? ....
raconter ....
recevoir ....
prendre sa retraite ....
réussir ....
satisfait(e) ....
faire un stage ....
tôt ....
....
....

5. Répondre à ses mails

un banquier ....
faire confiance à ....
être obligé(e) de ....
offrir ....
une pièce jointe (PJ) ....
plaire ....
je vous prie de ....
remercier ....
résultat ....
supprimer ....
un coup de téléphone ....
traduire ....
....
....

6 Problèmes

1. Traiter un problème relationnel

au sujet de ....
cacher ....
je suis déçu(e) ....
distrait ....
j'ai du mal à ....
en ce moment ....
être occupé(e) ....
être pris(e) ....
recruter ....
réfléchir ....
remplacer ....
les ressources humaines ....
ça ne sert à rien ....
sourd (e) ....
....

2. Faire face à un contretemps

absent(e) ....

annuler un rendez-vous ....

avancer ....

reporter ....

une chance ....

un changement ....

se disputer ....

s'énerver ....

se précipiter ....

rater (un avion) ....

être en retard ....

une route ....

une salle de bains ....

tout de suite ....

se tromper de ....

....

....

3. Résoudre un problème informatique

un(e) ami(e) ....

apporter ....

appuyer ....

bizarre ....

bouger ....

un clavier ....

ça dépend ....

Je te dérange ? ....

détruire ....

un disque dur ....

un écran ....

embêtant(e) ....

éteindre ....

formater ....

formidable ....

imprimer ....

un mot de passe ....

nettoyer ....

une souris ....

une touche ....

....

....

4. Faire des réparations

une ampoule grillée ....

se calmer ....

casser ....

avoir chaud ....

couper ....

se dépêcher ....

descendre ....

une fenêtre ....

un fil électrique ....

insister ....

laisser tomber ....

une lumière ....

une main ....

un plafond ....

poser ....

pousser ....

une table ....

tenir ....

tirer ....

un tournevis ....

visser ....

....

....

5. Proposer des solutions

un bruit ....

un compte en banque ....

une fièvre ....

un médecin ....

avoir peur ....

réfléchir ....

se sentir ....

stressé(e) ....

suggérer ....

tousser ....

une vérité ....

....

....

7 Tranches de vie

1. Se rappeler ses petits boulots

un petit boulot ....
coléreux ....
content(e) ....
un(e) employé(e) ....
se fâcher ....
insulter ....
maigre ....
une personne âgée ....
avoir peur ....
un pourboire ....
une prime ....
sourire ....
se souvenir ....
une tâche ....
....
....

2. Gérer les faits divers

une colère ....
convaincre ....
dépenser ....
une dette ....
devoir (de l'argent) ....
en échange ....
s'entendre avec qqn ....
avoir lieu ....
s'occuper de ....
tomber en panne ....
rembourser ....
....
....

3. Faire carrière

décider ....
diriger ....
fabriquer ....
garder ....
une grève ....
produire ....
un voyage d'affaires ....
....
....

4. Gérer le stress

un chef d'entreprise ....
crier ....
une échelle ....
empêcher de ....
gérer ....
un impôt ....
licencier ....
un ouvrier ....
partout ....
réclamer ....
....
....

5. Faire des projets

le chômage ....
un chômeur ....
comme convenu ....
dès que possible ....
discuter ....
faire des heures supplémentaires ....
s'inquiéter ....
le lendemain ....
paresseux ....
être prêt(e) ....
promettre ....
....
....

Imprimé en France par Clerc en janvier 2023
N° éditeur : 10289820
Dépôt légal : décembre 2019

USBORNE KEY SKI

Wipe-clean Grammar and Punctuation

Illustrated by Maddie Frost

Written by Jessica Greenwell
Designed by Maddison Warnes

Trace over our punctuation marks.

Stripe the badger

Mo the mouse

There is a grammar glossary, and notes for grown-ups at the back of the book.

Hug the bear

Edited by Hannah Watson
Series Editor: Felicity Brooks

Matching capital letters

Help the animals write capital letters to match these lower-case letters. You can use the alphabet at the bottom of the page to help you.

A B C D E F G H I J K L

Days of the week

Stripe is writing about the week – can you help? Write capital letters over the grey letters, then add a full stop at the end of each sentence.

on monday we played in the forest

tuesday was a warm and sunny day

we went swimming on wednesday

on thursday we had a party

it rained all day on friday

we built a den on saturday

tomorrow it will be sunday

Sentences always start with a capital letter.
Days of the week start with a capital letter, too.
Sentences often end with a full stop.

Names and places

Trace the capital letters on these holiday pictures, then copy the words to complete the sentences under each picture.

Stripe went to China.

_______ went to ____________.

_______ went to _________.

_______ went to ____________

You can use the alphabet strip at the bottom of the page to check your capital letters.

A B C D E F G H I J K L M

Names and places always begin with a capital letter.
The personal pronoun 'I' always has a capital letter, too.

_________ went to ___________.

_________ went to _________.

_________ went to _________.

_________ went to _________.

Write the sentences again but this time write 'I' at the start of each one instead of a name.

Punctuation marks

Trace over these punctuation marks, then see if you can write some more below.

Sentences usually end with a full stop.

Questions always end with a question mark.

Exclamation marks end sentences that show strong feelings.

Olly is asking questions. Add a question mark to each of his sentences.

Squilly is answering Olly. Add a full stop to each of his sentences.

Hug is trying to sleep. Add an exclamation mark to each of his sentences.

Punctuating sentences

Add punctuation marks to these sentences, then draw lines to show each animal where they need to land.

Coco has written a party invitation but she's forgotten to use punctuation. Write in the missing full stops, question marks and exclamation marks.

Dear Moley,

I am having a party ...... Can you come ......

There will be cake and jelly ...... What a treat ......

Can you write back to me ...... Be quick ......

Love from Coco

Moley has written back to Coco. Add the missing punctuation marks to her letter.

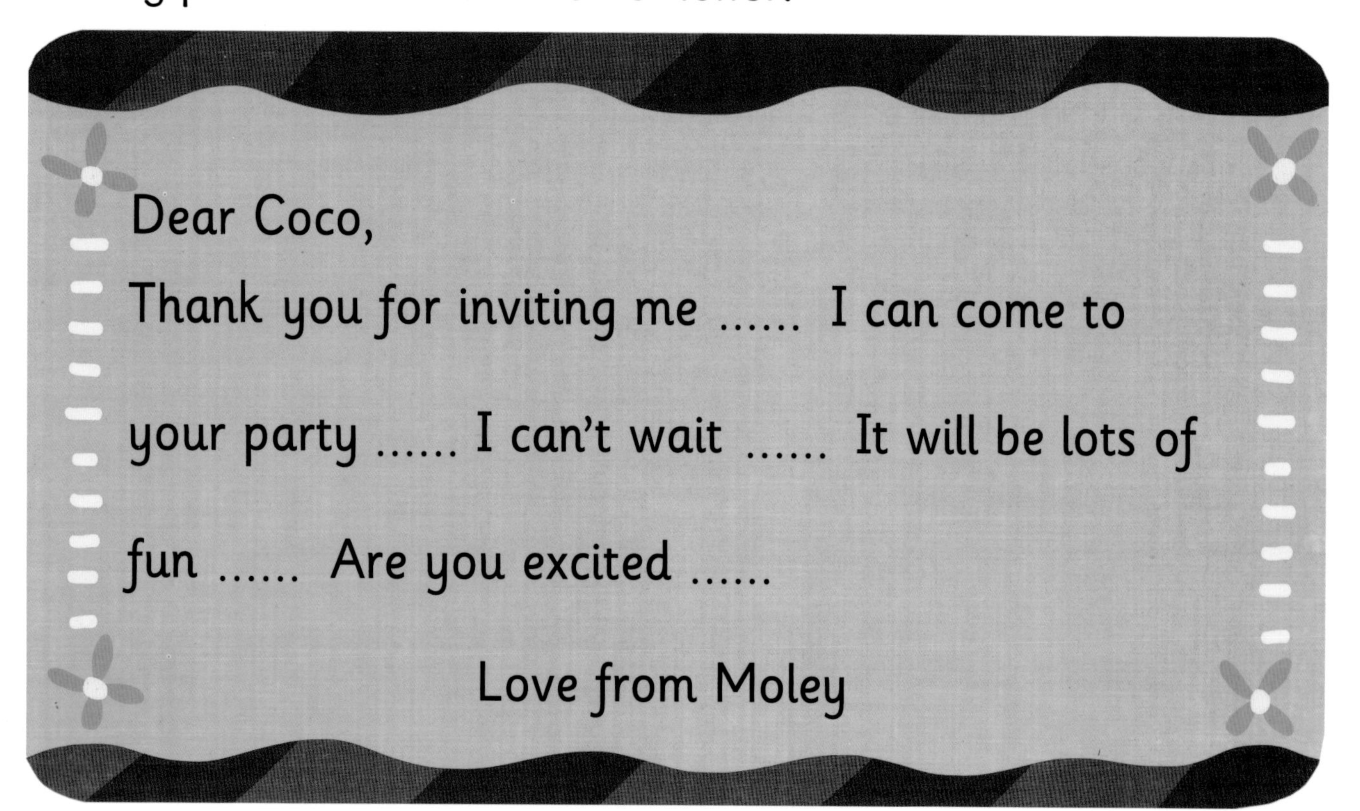

Dear Coco,

Thank you for inviting me ...... I can come to your party ...... I can't wait ...... It will be lots of fun ...... Are you excited ......

Love from Moley

Making sentences

Draw lines to join the parts of these sentences so that they make sense, and see which animal is going by bike, car or boat.

Copy the words from the clouds to write sentences on the planes' banners.

Put Mo's train wagons in order for her by writing out the words to make a sentence.

Muddled pages

Squilly is putting together pages for a book. Help him unscramble the words to make sentences. Write the sentences under the pictures, then put the pages in order by writing 1, 2, 3 or 4 in the boxes.

Remember to start your sentences with a capital letter and end with a full stop.

Then
pie.
apple
they
ate

They
treehouse.
in
played
the

What order should the pages go in, Squilly?

Linking sentences

Read the sentences in the boxes, then draw a piece of string to link them together. Turn each pair into one new sentence by writing 'and' in the space. The mice have done the first one for you.

Stripe likes to eat fruit.

Stripe likes to eat nuts.

Stripe likes to eat fruit and nuts.

Bun is happy.

Bun is excited.

Bun is happy .... excited.

Bun and Stripe are singing.

Bun and Stripe are dancing.

Bun and Stripe are singing .... dancing.

Bun is reading.

Stripe is sleeping.

Bun is reading .... Stripe is sleeping.

Rewrite what each animal is saying in one new sentence using 'and'.

I am jumping.
I am splashing.

I am ....

I love plum pie.
I love cream.

I love ....

The butterfly is red.
The butterfly is yellow.

The butterfly is ....

I am playing with my teddy.
I am playing with my doll.

I am playing with ....

One or more than one?

Help Olly tidy away his toys. Draw a line from each label to the correct box.

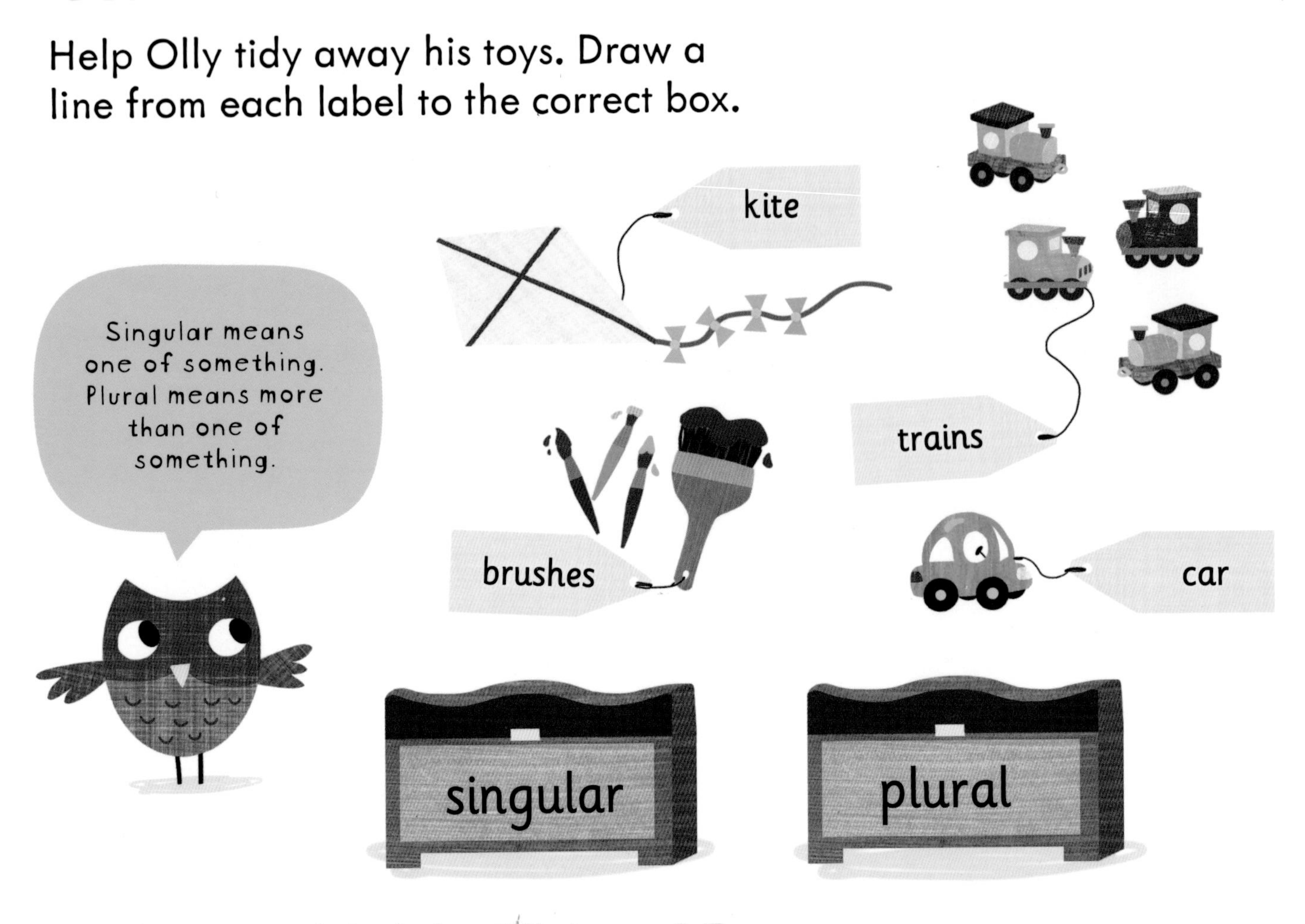

Can you write labels for Olly's toys? Trace each word and add 's' to make it plural.

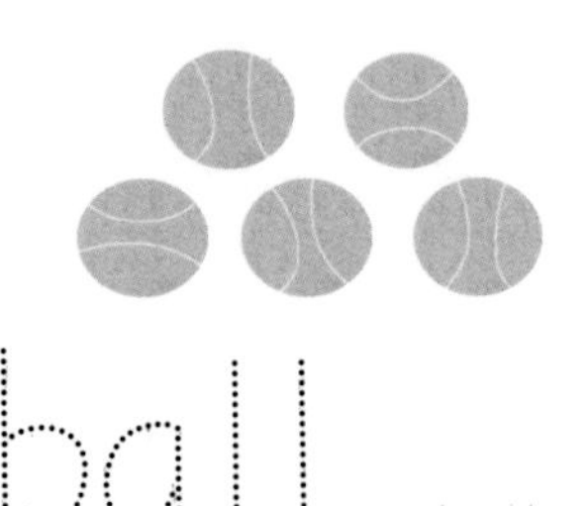
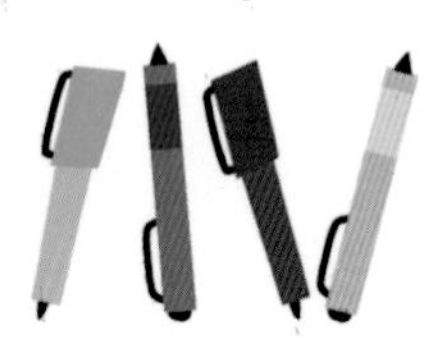

ball __ pen __ robot __

These words need 'es' to make them plural.

fox __ __ watch __ __ bus __ __

Draw around the singular words in the wordsearch to match these pictures.

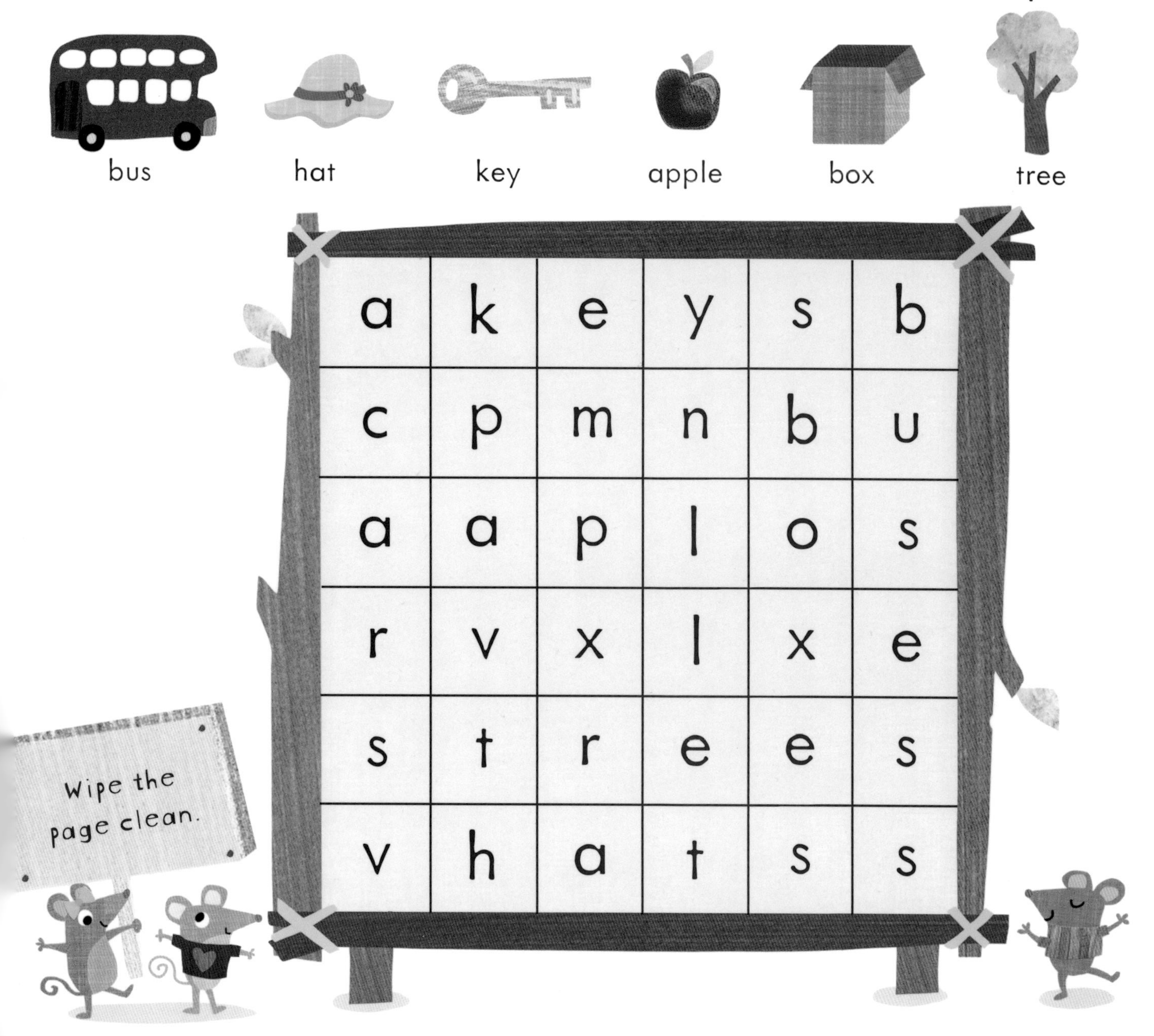

Now draw around the plural words to match these pictures.

Changing words

Trace the words below and then write 'un' in the spaces to make new words.

dress __ __dress

tie __ __tie

zip __ __zip

Trace these words and then write 'ing' in the spaces to make new words.

mix

paint

cook

listen

play

jump

Now write 'ed' after each word above. Think about how this changes the meaning of each word.

Writing practice

The animals are practising writing sentences, but they've missed a few things out. Write the sentences out correctly for them.

You could look back through the book for clues to help you.

we went swimming on wednesday

are you excited

spike went to italy

can you write back to me

bun and stripe like to sing dance

my train fast goes

how exciting

Now try writing your own sentences about the animals in this picture. There are some words at the bottom of the page to give you some ideas.

singing writing fun lunch picture song
painting eating sleeping yummy book

Grammar and punctuation quiz

Find out how much you can remember about grammar and punctuation by doing this quiz. Answers on page 24.

1. Tick one word that completes this **sentence.**

Yesterday Stripe and Moley ________ in the forest.

a) playing ☐ b) play ☐ c) played ☐ d) plays ☐

2. Write one **punctuation mark** in each box to complete these **sentences.**

a) Are we nearly there ☐

b) Stripe likes sausages ☐

c) What noisy animals ☐

d) Be quiet ☐

e) Are you awake ☐

f) Foxy is in America ☐

3. Tick one **word** that completes this **sentence.**

Bun and Stripe are singing ________ dancing.

a) and ☐ b) but ☐

c) so ☐ d) because ☐

4. Tick one box to show if you add 's' or 'es' to make each of these words **plural**.

	's'	'es'
a) fox	☐	☐
b) bus	☐	☐
c) key	☐	☐

5. Tick one box to show which **letters** you need to add to this **sentence.**

Squilly has to __ zip his jacket before he takes it off.

a) under ☐

b) un ☐

c) out ☐

6. Draw a line under each **letter** that should be a **capital letter** in this story, then tick one box to show how many capitals are missing.

coco went to france on tuesday. she met her friend bun in paris. they came back on friday. i would like to go to paris too.

a) 8 ☐ b) 5 ☐ c) 10 ☐ d) 12 ☐

Write out the story again with capital letters in the right places.

....

....

....

....

7. Write 'ed' or 'ing' in the spaces to complete these **sentences.**

a) Foxy likes listen ______ to music.

b) Hug cook _____ a yummy pie for Olly's birthday.

c) Coco and Bun are play ______ with their toys.

d) Spike paint ______ a picture for Olly.

8. Write out the words in the right order to unmuddle these sentences. Add **capital letters** and **full stops** too.

a) green spike drives car a

....

b) going is moley sailing

....

c) bike ride foxy his to wants

....

Quiz answers

1. c) 2. a) ? b) . c) ! d) ! e) ? f) . 3. a) 4. a) 'es' b) 'es' c) 's' 5. b)

6. c) (1 point)

Coco went to France on Tuesday.
She met her friend Bun in Paris.
They came back on Friday.
I would like to go to Paris too.

7. a) listening b) cooked c) playing d) painted

8. a) Spike drives a green car.

b) Moley is going sailing.

c) Foxy wants to ride his bike.

Score 1 point for each correct answer and write your score in this box: ____ / 20

If you want to get a higher score, wipe the pages clean and try again.